Snowball Oranges
One Mallorcan Winter

by Peter Kerr

马略卡之冬：
雪球橘

［英国］彼得·凯尔 —— 著

王　云 —— 译

译林出版社

图书在版编目（CIP）数据

马略卡之冬：雪球橘 /（英）彼得·凯尔
（Peter Kerr）著；王云译 . —南京：译林出版社，
2023.1
（马略卡的四季）
书名原文：Snowball Oranges: One Mallorcan
Winter
ISBN 978-7-5447-8979-0

Ⅰ.①马… Ⅱ.①彼… ②王… Ⅲ.①随笔 - 作品集
- 英国 - 现代 Ⅳ.①I561.65

中国版本图书馆 CIP 数据核字（2021）第 257543 号

Snow Oranges: One Mallorcan Winter by Peter Kerr
Copyright © 2000 by Peter Kerr
This edition arranged with Peter Kerr through Big Apple Agency, Inc., Labuan, Malaysia
Simplified Chinese edition copyright © 2023 by Yilin Press, Ltd
All rights reserved.

著作权合同登记号 图字：10-2017-511 号

马略卡之冬：雪球橘 ［英国］彼得·凯尔／著 王 云／译

责任编辑	赵 奕
装帧设计	任凌云
校 对	王 敏 孙玉兰
责任印制	单 莉

原文出版	Summerdale, 2000
出版发行	译林出版社
地 址	南京市湖南路 1 号 A 楼
邮 箱	yilin@yilin.com
网 址	www.yilin.com
市场热线	025-86633278
排 版	南京展望文化发展有限公司
印 刷	江苏凤凰通达印刷有限公司
开 本	787 毫米 ×1092 毫米 1/32
印 张	10
版 次	2023 年 1 月第 1 版
印 次	2023 年 1 月第 1 次印刷
书 号	ISBN 978-7-5447-8979-0
定 价	49.00 元

彼得·凯尔致中国读者的信

"这一切恍如一场美梦：一家人放弃了在苏格兰恶劣的气候下牧牛，转而来到 1500 英里[1]外阳光明媚的西班牙马略卡种起了橘子。"

这是英国原版《马略卡之冬：雪球橘》的介绍文字，千真万确——除了非常重要的一点：我们这么做不是为了"圆梦"，而是因为在 1984 年，我们家传承了好几代的小农场在"以大为美"的现代化农业环境中不再可行，那时，机械化农作方式已成为苏格兰农村的主流。因此，几乎可以说是极不情愿和恐惧万分地，我和妻子决定放弃这片珍藏于心的安全和熟悉的土地，冒险在遥远的异乡另谋出路。在那里，家庭作坊式的小农场仍占主流。

当您读到这些关于我们马略卡冒险的记述时，您会发现

1　1 英里约合 1.609 公里。

我们对赖以为生的新农作方式一无所知，看似闲散的田园生活给我们带来了巨大的考验。我们遭受了相当多的挫折——如果不算是彻底的灾难的话——同时需要学会用一门新语言交流，努力调整我们的生活节奏以适应截然不同的气候和文化，去融入这个亲密无间的乡间社区，这个依然保留着古老传统生活方式的社区可不太习惯我们这些外来者闯入。但是，若诸事不顺，便以笑为良药——这句老话成为我们的座右铭，我们也随之开始了令人兴奋的生活新篇章。

我们的小橘子农场坐落在雄伟的特拉蒙塔纳山褶中，在这里，我们的邻居只有马略卡老村民，他们依然保留着传统生活方式，对新技术的主要让步是用小型柴油拖拉机代替驴或骡子。除此之外，他们照料果园，耕种农田，像祖祖辈辈一样一成不变，过着简单、从容的生活。他们很难理解为什么我们要从那么远的地方搬来这里，还带着两个年幼的儿子，来迎接这样一个连本地人家的孩子都不肯接受的未来。山谷中的下一代更喜欢去西班牙热闹繁华的海滨度假胜地，找份酒保或服务员的轻松工作，然后投身于西班牙灯红酒绿的聚会之中。

毋庸置疑的是，这些精明的乡下人一开始对我们疑虑重重，也许还曾怀疑我们是不是把脑子都丢在了苏格兰——管它苏格兰究竟在哪儿。然而，当他们清楚地认识到我们不是那种人傻钱多的疯狂外国人，而是预算紧张、勤劳肯干、自力更生的普通人之后，他们便接纳了我们一家，慷慨地出主意，尽力帮忙。

　　大多数当地人终其一生也不会走到比山谷到首府帕尔马之间的这 20 英里更远的地方去，即使有人需要去更远的地方，这种情况也十分罕见。因此，毫无意外地，他们特别喜欢问我们这一代人为什么对旅行如此着迷。一位老者认为，就算旅行真的可以开阔眼界，显然它并不是对每个人都适用。"毕竟，"他说，"如果一头驴子去旅行，并不意味着它回来就能变成马了。"他直接拿自己的儿子举的例！

　　巧合的是，多年后在欧洲大陆的某个图书节上，我受邀参加了一场类似主题的讨论会，虽然现场并没有同样尖刻的幽默意味。该国长期以来禁止出国，这一禁令直到最近才放宽，因此对许多人来说这是第一次可以自由出国旅行的机会。现场听众们很热切地希望听我这个局外人对他们长期被剥夺的权利给出点评。

　　有人问我："离家远行是找到自我的好方法吗？是唯一的方法吗？旅行能不能带来幸福？"回答时我小心翼翼地避免引用那位马略卡岛老邻居"驴／马比喻"的原话，尽管那个比喻无比精准。显然，这种场合下人们希望听到更积极的回应。因此，我向他们建议，如果你的旅行是搭乘飞机前往阳光明媚的地方，在海滩上懒洋洋地躺上几周，那回家时你会快乐而满足，但不会使你比离开时更聪明。但如果你们骑自行车探索异乡的风土人情，或是在城市中漫步，发现并汲取这个地方和居民的特质，而不仅仅是参观景点，那么你的这趟品尝异国精髓之旅会让你获益良多。

我总结说，一切都取决于你对幸福的定义。就这么简单。但最好也提醒一下各位，无论如何都不能忽视财务问题。最重要的是要铭记一句老话：对旅人而言，最沉重的行李就是一个空钱包，也就是说，不管怎样，大家都要记得给自己留够买返程机票的钱。毕竟前路难料。

看着有些人脸上不服气甚至迷茫的神情，我不禁想，如果你总是想找寻求快乐的最佳方式，你很可能会一直郁郁寡欢。因此，为了缓解紧张情绪，我最后总结，虽然这山看着那山高，但别忘记月是故乡圆。有一首多年前的流行歌，歌词非常在理：

> 你往东走，
> 你往西走，
> 但总有一天你会发现，
> 幸福就在你眼前，
> 就在你的后院里。

三十多年后回看我们的经历，我只能说，在异国他乡开始新生活是一次真正充实的经历，不仅让我们意识到不同国籍的人的相似之处，而且教会我们要记住自己是客居者：如果想受到主人的欢迎，就要先尊重他们。

虽然命运为我和家人提供了这个机会，让我们踏上了一段令人惊喜的旅程，但并不是每个人都能获得这样一个改变人生的机会。我猜，这也不是人人都想要的。同理，对那些总抱怨自己原生地的人来说，去别处旅行可能也不是他们寻找幸福的最好方式。以我们马略卡老邻居的子女为例，年轻一代已经放弃了他们祖先长居的乡村，转而投身于现代都市生活的"进步"喧嚣之中。尽管老人们早已过世，他们小小的土地也被新型农业合并成更大、更"高效"的合作社，但许多离开的人现在依然会在周末回到这片他们年轻时生活过的简陋家园，向他们的孩子介绍这里过去的生活。那些旧时光，伴随着时间的消逝，都变得熠熠生辉。

眼下，全世界都在努力从这场全球大流行病的悲痛影响中恢复过来，人们有更多机会前往他们喜欢的目的地，也许国与国之间会形成一种新的情势，合作、信任、谦虚和相互尊重都更加重要。这听起来像是遥不可及的美梦，也许吧，但肯定是一个值得拥有的梦想。如果命运如此决定，这个梦想显然值得追寻。

彼得·凯尔
2021 年 9 月
翻译：李宇华
2021 年 10 月

马略卡是世界上

最美的地方之一，

就像加勒比天空下

绿色的赫尔维西亚，

充满了东方的

庄重与安宁……

——乔治·桑《马略卡的冬天》

目 录

1

农庄出售

"看！这雪从苏格兰翩跹而至，就像是为了迎接阁下到马略卡来。"托马斯·费雷尔先生颔首微笑，看着这难得一见的大雪从地中海的上空飘飘洒洒，席卷而下，覆盖了果实丰盈的橘林。

"是啊是啊，我看到了。"我只能礼貌地回答。雪花成片飞舞，在我仰起的脸庞上轻轻停驻又滑落。这雪从家乡尾随到这里，新邻居见之如友，我则颇感伤怀。我们从1 500英里以外移民到南方，绝不是为了被这本已抛却身后的冰雪天气追赶的啊！

费雷尔先生轻盈地在果园里走动。他将片片落雪踢飞起来，笑得像个欢快的孩子。我真不敢相信自己的眼睛。大雪如同一袭冷艳的白色披风，迅速将我们的阳光天堂涂抹成一幅由柑橘圣诞树、羊毛棕榈和雪球状蜜橘共同调配成的怪异冬景图。

几个小时之前，一切还是那么不同。我和艾莉推开百叶窗，谷底修剪成行的果树尽收眼底。果园静静沐浴在十二月冬季的煦暖阳光里。这是我们获得马略卡这处农庄后的第一个清晨。野生香草芬芳四溢，叮叮当当的绵羊铃在空旷宁静的山谷里回响，消失在远处丰饶的楔形田地尽头。那些田地隐隐坐落在西南马略卡黛青群山的重峦叠嶂之下，显得宁静祥和。我们心满意足地站在窗边凝望，任由感觉沉醉在光影摇动的神奇景致之中。

此时的马略卡岛确实魅力无比。感谢上帝，我们幸运之至，恰好拥有一小块属于我们自己的农庄——这几亩田地，就是我们的阳光天堂。

远远传来了"彼得先生……彼得先生……你好！"的呼唤声。这喊声如同钝刀一样划破了周遭的安宁。

我打开门，看到一个被金色光环包围的矮小女人缓缓走来。一大群褴褛尖利的影子在她穿着拖鞋的脚上碾磨，真是一幅奇异而神圣的画面，混合着漫布于整个山谷的肃穆，制造出催眠般的效果；我突然感到被一种强烈的冲动征服了，差一点跪下膜拜。

不过，我迅速从震撼当中醒过神来，忍着疼痛。一只猫跳上来，趾爪紧紧钳住了我的右腿。这就是托马斯·费雷尔太太弗朗西斯卡第一次拜访我们的情景。她的忠实弟子们——八只未完全驯服的粗鄙野猫，两条瘦小的杂种狗，紧紧跟随。

这野猫冷不防的攻击，很像是故意安排的对敌战术；趁我不备，那两条长毛狗胜利冲过"警戒线"，很快消失在房间里。

费雷尔太太腼腆地笑着问候："你早。"

我回答得也够勉强："早——啊！"一边回答，一边把那只凶悍的野猫从我大腿上赶开。它抓得可真够牢！

"这坏东西！"费雷尔太太呵斥了一声，龇牙咧嘴呲呲叫的食鼠兽终于放开我的腿，一个熟练的前扑，跳回到她的拖鞋上。

那猫完成任务后隐藏了声息，得意地翘着尾巴，去寻找它的伙伴了。那些可恶的家伙可能早已占据了整个房间。

这就是大约五个月前我们买下新邻居的这处农庄后，第一次与她见面。

尽管买卖双方共用一个律师在英国是不被允许的，但费雷尔先生和我们还是雇用了同一个来自西班牙大陆的律师作为农庄购买生意的谈判代表。律师个头高挑，话语精简，操一口不错的英文。他参与了耗费时日的购买农庄的整个过程。

"和马略卡人做生意，您一定要格外小心。"第一次见面他就直言不讳，"您会发现马略卡人通常狡言善变，他们绝不会多让一分土地，更不会少要一分钱。"看来，西班牙大陆居民与马略卡岛屿出身的乡村人之间，历来有敌对情绪。"马略卡人到今天还常用他们祖先在集市上买老母鸡的那一套砍价本领，来处理大宗地产买卖。"律师揶揄道。

随后，在我清晰地认识到马略卡人的本质，感觉马略卡人与苏格兰人确实不相上下的时候，西班牙大陆来的律师露出了狡黠的微笑。

"啊，马略卡人与苏格兰人做生意，看来有意思哦。"他凝神皱眉，嘬着嘴嘟哝着，开始研究我们与费雷尔一家这笔农庄生意的桩桩细节。

在与我们的交易过程中，费雷尔一家果然呈现出马略卡乡下人的狡言善变，但他们耍的伎俩并不比我们在家乡习惯的更高明，也没有让他们拒绝比原本提出价格低得多的报价。然而后来，我们发现自己实在并没有"技高一筹"时，任何可能有的沾沾自喜都打消了。我们自以为在"精打细算"，其实这原本就是马略卡人的本事。确切地说，自始至终，费雷尔以马略卡方式主导了谈判：他提了一个比他们愿意接受——如果不得不接受——的价格高得多的数。我们顶多算打成平手。我们这么快就让步，反倒显得有点儿慷慨了。

但随后几个月，我们就没有时间担心这些了，基本上是手忙脚乱地办了几宗大买卖。首先是整理并出售了我们自己在苏格兰的庄园，到西班牙领事馆移民中心办理手续，并在西班牙军方要求下，办了"良民"公证，因为"为了西班牙的国家安全"，军方不得不检查每一个试图在巴利阿里群岛购买村地的外籍人士。为那些小件物什哪些该运往马略卡，哪些不该，我们经常吵嘴。最后跟家人以及老朋友道别，也得花一些时间。

我们的两个儿子，十八岁的森迪和十二岁的查理，几周后将加入我们。希望那个时候我们已经安置妥当。尽管我们还是忍不住怀疑两个宝贝儿子能否最终适应环境和生活方式的完全改变，但现在恐怕为时已晚。好也罢，坏也罢，我们已如恺撒大军跨过了卢比孔河，义无反顾……

那时我们跟大家一样，经常会在荒凉的冬日夜晚，做梦有一天可以不用在空旷阴沉、肃杀冷峻的天气里种植庄稼、饲养牛群，我们应当去往虽然所知甚少，但肯定比家乡更具活力的西班牙大地上经营一个小小农庄……有一天，我们的两个孩子长大成人，终于有了自己的事业……是的，有一天，我们可以不必担心举家南迁……会有那么一天的，会有那么一天，我们挤出时间好好学习了西班牙文……会有那么一天。

毫无疑问，从严格意义上而言，如果我们不是在消夏长假的时候"不期而遇"马略卡岛的"市长府邸"农庄,"那一天"肯定永不会来。

为了避开西海岸的滚滚热浪,我们一路开车,沿着盘山路,从市镇安德拉奇往北驶往卡普德拉村。不幸的是,艾莉不俗的方向感把我们带到了一个地图上都没有标记的山谷。谷底是一条迂回狭长的带状走廊,阳光刺眼,照着两旁高耸的石壁。中间围着一小片杏林,扭曲的枝干、松散的叶子形成空气通透的树冠,几小群瘦削的、耷拉着耳朵的绵羊,在古朴遒劲的树干周围,或侧卧或横躺,宛然一幅七月艳阳下的羊儿避暑画面。

谷底廊道的宽度只能容一辆车前行,我们开始认识到自己的失误。我们面临的选择是,要么前进,努力找到拐弯的地方;要么原路返回,把折磨人的山路再走一遍,回到主路。我决定前进……前进……前进……

"你怎么还是读不懂一张简单的地图?"我终于怒不可遏,"我的意思是,这一片区域其实只有一条车路,你还能迷路,现在把我们困在这被上帝遗弃的驴道上,也不知道去往哪里!我以前说过的,现在还是要再说一遍——我自己边看地图边驾驶说不定还好些!"我的火上来了,而且我又火上浇油地引申出我的观点,"艾莉,你的人生就总是半睁着眼,这就是你的问题!看看地图总不是什么非常困难的事。这只是一件让你睁大眼睛,带点儿观察力的小事情!就这么简单!"

马略卡之冬·雪球橘

艾莉习惯性地回以一个沉默的微笑。

我继续找路，不停地埋怨，对太阳发泄着不满。失去水分而变得枯萎易折的灌木枝叶与干皱杂草，一路滑过车子两侧。被阳光晒暖了的蟋蟀吱吱叫着，在火炉般的空气里上下跳跃。

"那边石壁中间有个出口——正前方不远的地方，左边。"几分钟后艾莉认出了路，"在那里可以拐弯出去。"

"知道了！知道！"我语气粗暴，在驶过出口几码¹后才缓过神来，车子紧急制动，尖叫着停下。

艾莉自得其乐。"看那儿，有个牌子。"她说着，我开始往出口的方向倒车。

"什么牌子？"

"观察力先生，就是你要倒车开出这个鬼地方的出口啊！"

我谨慎地保持安静，回头望见前面牌子上写着大大的"出售"二字。"哦——卖东西的。又怎样？"我耸耸肩，"出售的要不是块邮票大小的地就怪了。一定还有几棵矮树，田地边角一处快倒塌的石屋，跟我们驶过这条该死驴道上见到的村地一样罢了。赶快走吧，别在这儿挨晒了。"

"你没注意到那房子？"

"什么房舍？"

1　1 码约合 0.914 4 米。

"你有没有观察到那儿有处房舍？注意看啊！"

"什么房舍？"

"果园里有座高耸、洁白的大房子。你不可能看不到啊。就在那边，过了最后一个弯，在我们前面差不多一百码的地方。这儿是农庄的大门。大房子在农庄里面。明白了？"

我清了清喉咙，"啊，那座房子啊。好啊，很漂亮哦。算了吧，我们赶快回到主路，得赶往卡普德拉。"

"不，等一下。"艾莉催促着，"有个女人在灌溉园地。我们去找她带我们四处看看。既然是待售的房产，我们为什么不看一下？"

我开始提建议，说那没有用。这样做只会耽误那女人浇园。然而艾莉没听劝，她已经迈进大门，用一两个词组成的句子热情问候里面的人。

等我接近她们的时候，很明显，浇水的女人根本不懂英语，而艾莉的西班牙语只有超市购物的水平。我猜想这儿可能有一个展示我"超级"语言天分的机会。

"啊……先生，晚上好……你好吗？"我熟练地结结巴巴说起西班牙语，伸出手表示问候。

"嘿！"女人有些紧张地笑起来，"我是弗朗西斯卡·费雷尔女士。"她的右手犹犹豫豫地伸出来迎接我。我感到裤子前端有液体浸透并向下漫延。她手里还拿着水管。

艾莉的眼睛向上望着天空。"还是让我来说吧，亲爱的。"

她叹了口气。

费雷尔太太慷慨致歉，但未压住一阵少女般的冲动窃笑。很显然，她是一个具有十足幽默感的女人，只是当时我无法欣赏。湿乎乎的裤子粘在腿上，很不舒服，这种感觉让我突然回到记忆里的某个角落，想起刚上托儿所时的那些经历。

我在艾莉和女主人后面一摇一摆地走着，而两位女士本能地沉浸在她们单音节的陈述和浮夸的手势中。一会儿，我的妻子通知我说，这家名叫"市长府邸"的农庄，是弗朗西斯卡·费雷尔和她家族先辈的出生地。

费雷尔女士身材娇小，五十五岁左右的样子。虽然出生在山谷里的一个小农庄，但她显得气宇轩昂，并不像大多数在田间劳作了一辈子的女人。她有一双光滑、细腻的手，一头打理精致的头发，几乎拥有一种皇家贵族的气质，当她漫步在满院的荆棘花丛中，走回房子时，她那中等个头都仿佛高出了几英寸[1]。

最终真相大白，她就是托马斯·费雷尔先生的妻子。费雷尔先生是他那个时代追求上进、充满激情的代表。年轻时，他离开岛上另一侧的农村家乡，到马略卡首府帕尔马市政府谋职。他很快受到赏识，被任命到二十英里外的安德拉奇镇

1　1英寸约合2.54厘米。

主持工作。在那里他娶了年轻的弗朗西斯卡，当地一家显赫果农商的独生女。托马斯很快成为这一片区域最重要的官员，注定有一天会被召回帕尔马，他那出类拔萃的能力最终使他成为岛上最重要的政府部门的主管。

费雷尔先生的成功故事已经成为安德拉奇的民间传说。他和妻子备受尊崇，尤其是在弗朗西斯卡这片山谷的居民当中——夫人显然很享受这地位。

每周的工作日，费雷尔夫妇都居住在帕尔马绿林成荫的大道旁漂亮华贵的寓所里，周五晚，二人就回到"市长府邸"，与弗朗西斯卡的年迈双亲共度周末。尽管在帕尔马等级森严的社会中享有相当高的声望，费雷尔夫妇的血管里依旧燃烧着乡村人的血液。他们很高兴每周能沉浸在几乎绝迹的属于童年的乡村生活中，享受这两天宝贵的时光。

托马斯会帮助岳父处理拖拉机和其他难以完成的粗重农活。与此同时，弗朗西斯卡喜欢照看房子附近的花床，以此打发时间。她通常会适度地端着上流社会女子那股特有的优雅劲儿，跟穿过村子到农庄大门前买水果的老农妇打听最近发生的帕尔马伯爵夫人的八卦。如同所有上了年纪的马略卡农妇一样，她的母亲一生都在厨房与田地之间分配时光，不嫌劳累，辛勤供应家庭和农庄所需，可她总能抽空找些乐事，与来往的朋友和邻舍开心畅聊。

老夫人谢世后，小家庭突然失去了中心，弗朗西斯卡的父亲伤心欲绝，连对曾珍爱的果园和林地也提不起兴趣。失去了人生伴侣，人生已然变得毫无意义。

老人的健康状况一天比一天差。弗朗西斯卡一想起整个礼拜都要把他单独扔在偌大的房子里无人照顾，就非常担心。一整个礼拜无事可做，无人可见——他应该到帕尔马与费雷尔夫妇一起生活。卖掉农庄，只留下一小片靠近那个老磨坊的田地维持生计，再将磨坊改造成周末度假小屋、休闲的所在，不忙的时候用来享受种植水果和蔬菜的田园生活。老人家这个时候就可以漫步果园，在他曾心爱的山谷里，静静回忆自己的一生。庄园"待售"的牌子就是这么竖起来的。

艾莉和费雷尔女士走进房子，看来依然沉浸在她们即兴发挥的世界语交流中。我在外面溜达了一会儿，部分是为了晒干我被弄湿的裤子，但更主要的，是想品味此处使人流连忘返的美好景致。时光停滞的感受难以阻挡，安静祥和地弥漫在身旁。精铁炼制的大门旁矗立着高耸入云的青松，树冠处偶尔飘来几声麻雀的沉闷聒噪，才稍微打破了些这片刻宁静。

我在房后的园中肃立，看着一片柔和的砾石坡面，全部隐藏在一堵古代砂岩所造的高墙里面，几近与外界隔绝。紫色九重葛的波涛从斑驳的墙面泻下，长长的、多叶的卷须用影子在被太阳晒得龟裂的石头上编织错综复杂的图案。院子的另一方，由木槿、夹竹桃、金合欢和爬墙玫瑰组成的矮林，与一片高大的橄榄木、杏树和角豆树神妙而热情洋溢地和谐共生，别有情趣。相比娇艳的矮林，这些树看起来要更早地占据这里几百年的时光。原来费雷尔女士用双手（和她的水管）帮大自然创作了一幅视觉杰作。

院子在通向大房子墙角的远处变得狭长，我不得不在意兴阑珊的棕榈叶和纠缠不休的紫藤下蜷缩起身子，才爬到了西侧露台。那里，木制藤架上缠满了葡萄藤，遮挡住下午的太阳。小串青色葡萄早已穿过透明的树冠，垂挂枝头。那树冠摇曳着颤巍巍的青翠的光，在下面四方老水井的石雕上投下鲜亮的身影。不同于郊区花园流行的修剪式样，这口老井没有形状独特的茅草屋顶，只留有笨重的历经风雨的拱形架，带着锈蚀斑斑的滑轮。陈旧的木桶慵懒地悬挂在被年月晒旧的长井绳的底端。

井的一侧，两把上了年纪的木椅斜倚在房墙上，被军用麻袋片、各式各样的果盘、泥水罐和一些空酒瓶置成静物画，显得神圣而优雅。一只肥大的老母鸡坐在椅子下的柳条篮里，证实了我的猜想：西侧露台是下午工作时——如果一定要工作——的凉爽绿洲，但只适合坐下来的工作。这个想法吸引着我。

从光影斑驳的西侧露台下来，被阳光团团簇拥着，我不得不遮住眼睛。大房子刷了石灰水的墙面反光厉害，我的眼睛无法承受。热浪灼烧，对我这张不太适应高温的北方老牛皮脸是有点残暴；但对小群开心鸣叫的知了而言，那显然就是正常的。它们高踞在大房子前两棵保镖般桉树那随风摇曳的树枝上度日。通过长长的、庇佑着正门的门廊，我来到了树影下。我能听到艾莉与弗朗西斯卡·费雷尔在拱形双开门后粗嗓门的抱怨声。

"用电还是烧天然气……厨灶，烤箱……是天然气吧，对吗？"

"就是一罐一罐的丁烷，装在罐里的。"

她们的谈话转为对女人而言最为熟悉的厨房用具时，我揣摩着正式的房产购买谈判要么早已开始，要么马上就要启动了。必须立刻开展预防措施。我急切地敲打着用烘干的栎木制作的大门，它吱吱嘎嘎响着打开，昏暗的门内隐隐现出两张笑容可掬的脸。

"啊，先生。您请。"费雷尔女士问候着，邀请我赶紧进去。

"彼得，你快进来看看这栋别致的老屋。"艾莉兴致盎然，拽着我的胳膊，不给我一丝抗议的机会，轻快地带我走遍每一个房间。房间亮堂堂的。

几分钟后，我踉跄着退回到阳光下，对我刚才看到的居室没有任何细节记忆——只有黯蚀的灰白房间、百叶窗以及带横梁的天花板，这里一段石板楼梯，那里一个敞口火炉，猫儿的浓重腥味，永远吠叫着却不敢露头、显然非常不友善的狗，不过就这些模糊的画面。

"哎呀！这当头的毒太阳！真讨厌！真不让人喜欢！"费雷尔女士惨兮兮地叫着，用手臂前端遮着额头，夸张地抗议那炽热灼烤着我们的太阳。从走廊出去，我们来到外面的田地中。我和艾莉习惯了总是抱怨苏格兰冰冷而阴气沉沉的漫长冬天，因此当听到人说阳光"真讨厌，不喜欢"的话，觉得稀奇。有些人真是永不知足，我心里琢磨着，一边抹掉眉间成珠滚落的汗。

下面半个小时左右的时间，我们跟随颇为唠叨的向导穿过成行的叫不出名字的果树，半开着耳郭听她侃侃而谈石榴树和榅桲树的品种，喷水和施肥的要求，收成的操作技巧，灌溉的时间间隔——所有这一切都令我们摸不着头脑，就算她用的是英文也没用。"大麦"与"小公牛"我们明白，一谈到"柠檬"和"枇杷"我们就不懂了。

山谷早已施下魔咒，而我的抵抗已经岌岌可危。穿越一小段石墙围绕的田地通往下一段时，我们任凭眼睛长时间地停留在两边庄严高耸的群山那永远在变动的风景之中。斜坡被浓绿的如同地毯般的松林和常青栎树遮盖，树木依势挂在前突的山体最窄处，锯齿般的山脊高耸入云，与天接齐。露出地表的山岩在煦暖的日光照射下泛着粉红的柔光，陡直的峭壁以及黛绿的谷口构成了野生自然生命的纯美之境，衬托并补充着山下延伸而来的片片良田和错落有致的植被。我们在几乎可感的安宁祥和的寂静里被封印起来，在人与自然共同完成的几近完美的杰作里找到了归宿。

我们回望着通往农庄的田地。白色的高墙，似隐似显的木制百叶窗，陶制瓦片的屋顶，都慵懒地在蜜橘树林深青的圆穹上方微微露出，群山显得慈悲而含蓄，安稳、坚毅而祥和地围绕着。此时无声，艾莉和我已心有所归。这里以后就是我们的新家了。

在返回农庄的路上，猫儿一只接一只地出现在眼前，如影随形跟在费雷尔女士后面，当我们渐渐靠近大房子时，两条邋遢狗从正门一跃而起，完全把我跟艾莉落在一边儿，直接一个前扑，吠叫着，尾巴直摇欢迎弗朗西斯卡——它们归来的领袖。

我们对费雷尔女士花时间陪伴我们表达了谢意，告诉她我们对购买这块地有兴趣，并承诺第二天会带一个懂西班牙语和英语的律师来谈判。这消息令费雷尔女士感到喜悦。略微带了些激动，她亲吻了我们的双颊，并真诚地握了我们的手（幸好没拿着水管）。我们不断说着"明天见"往车边走，终于成功告了别。

费雷尔太太的猫会在乎这些才怪呢。它们只知道在主人的脚踝间忙忙碌碌蹭来蹭去地占位置。然而两条狗显然很开心看到我们离去。在那之前，它们只不过是在较远的安全地带充满敌意地示威，然而等我们上了车，关好门之后，顿时咆哮起来，谨慎的敌意变成斗牛士般的自信。大一点的高贵地抬起一条后腿，轻蔑地昂起头，在车右后轮旁撒了一泡尿。同时，它的矮个儿同伴大胆地在车前摆了个姿势，倨傲地蹬起一堆石头，高高地向后方抛起，好像它刚排下了一堆新屎要去遮盖。

好极了。再见了，我的朋友！

在决定命运的七月下午，狗儿朝我们拉起了战线，而当我们终于搬进房子里，猫儿却担当了防御的主要责任，让我们知道在它们的地盘，我们根本不受欢迎。

弗朗西斯卡拿她自家烤制的杏仁蛋糕作为暖房礼物送给我们。杏仁是从房侧树上摘下来的，她让我们放心。为了表示丰盛，她又从冰箱里拖出一桶自制的杏仁味冰激凌。这冰激凌是根据祖传秘方制成的，实属特别，无法购得，她强调。我们在其他任何地方都尝不到这种甜点。说得对。

我们在厨房饭桌旁坐下来，看着费雷尔太太骄傲地、审慎地分配着她的礼品，如同在称量最昂贵的鲟鱼鱼子酱。我们的味蕾做好了充分的准备。

刚咬了一口杏仁蛋糕，我几乎还没来得及闭上嘴，费雷尔太太的脸就直接在我眼前显现，我俩的鼻子几乎紧挨着，她的眼睛充满着期待。"很不错，这蛋糕，不是吗？"

"很好……是的。"我有点紧张，几片刚进嘴的杏仁碎喷出来，牢牢粘在弗朗西斯卡的眼镜片上。

"哎呀，光吃不抹冰激凌的蛋糕确实有点难以下咽。"她煞有介事地分析着，"最好的吃法是用羹匙挖起等量的冰激凌和蛋糕一起吃。"她给我做了一个慢动作的演示。现在该我自己尝试了。

我感到自己像个巨婴一般，正在接受人生重要的羹匙教育课程。根本不需看，我就知道艾莉正拼命努力不笑出声来，而这对于缓解我的尴尬情绪没有任何帮助。

组合式羹匙技巧自然方便了干灰色的蛋糕进口咀嚼。尽管弗朗西斯卡体形丰腴，她的秘制杏仁冰激凌尝起来就如同撒了坚果粉的水一样的牛奶。不过，礼貌起见，我不能让她看到我作呕。我得坚持不懈。也许这种味道需要时间来习惯。实际上，当马略卡人的咽喉遇到苏格兰燕麦粥时，又会有如何的反应？

费雷尔女士一副期待的表情等待赞赏。发现无法逃脱责任之后，我深吸了一口气，使劲地表演起"吞咽"的功夫。我"嗯嗯"地哼哼，点着头，大胆地咂咂嘴。根本不用张嘴，我已经开始学习用西班牙语撒谎了。我出自好心的不诚实获取了另一份慷慨馈赠——双份的甜点杰作。我让弗朗西斯卡的这一天快乐极了。

突然，一阵狂暴的抓挠声音从桌下传来。我感觉小腿肚上有一阵针刺般的尖痛。花了几秒钟，我才明白过来究竟是怎么一回事。她养的一只猫正在我的腿肚子上练"猫爪功"！

"啊哟！"我惨叫一声，痉挛地指着正要解体的裤管，"猫！你的猫……它……它……"

"噢，这很正常。"费雷尔女士平静地笑着，说这小东西是追着冰激凌来的。它就爱吃她制作的冰激凌，这个小东西。啊，它还在呼噜。这猫喜欢我。看来它真的喜欢我。她用手轻拍着脸庞，似乎很高兴，头歪向一侧，含情脉脉地注视着这场虐恋戏码。

我的意识高速飞转。小腿肚在流血。针对两个迫切问题，我遭受围攻的脑子想出了一个聪明而简单的办法。我将盛着蛋糕的盘子一把端起，迅速摔到地上。我赢了！很快，我那虐待狂式的"崇拜者"放开了我的腿，猛烈地舔食地上的冰激凌。如同魔法奏效一般，它的同伴们从躲藏处突然齐冲出来，餐盘马上被包围在举成圈状的尾巴和圆睁的眼睛中间。

很明显，费雷尔女士被征服了。

起初，我以为我会冒犯她。我多虑了。

我的天哪，她傻傻地笑着，我多善良呀，把我的冰激凌给她的小宝贝们吃。她跟托马斯没有生养子女，这些猫和狗就是他们的孩子。我会理解的，她很确定，因为我是动物保护者。我和猫相处得很好。我是猫系的。当然如此！

这太对了，我非常喜欢猫，但在当时那一刻，我觉得自已如同在舔猫屁股一般。就在二十分钟的时间里，我一条完好的裤子和照理说健全的双腿都被弄残了，我心底深深地知道，这些猫真正需要的，是我们离开那房子——它们的房子。不管怎么说，我不能和弗朗西斯卡这样开口，反正她也不一定愿意听。

她继续不吝美言，赞扬我热爱动物的真诚。动物保护神一定会以我为傲的，她说，然后停了半晌，略显郁闷地抱起双手。

我觉察到自己被糖衣炮弹软化了。因为一些甜言蜜语，我答应了终将后悔的事。

弗朗西斯卡的眼睫毛在那猫女郎般的眼镜后面扑闪着。"彼得先生。"她冲艾莉展示了外交官般的笑容，然后移开目光，对准更简单的目标。在她与托马斯先生去往帕尔马的那些日子，我可以照顾她的猫和狗吗？猫是自由的动物，我也是知道的，它们可能更愿意在外面的房子里睡觉休息。两条狗，其实是母子俩，罗宾和玛丽昂，取名于英格兰的罗宾汉传说，也真是巧，它们都有英文名字。狗白天在山上找东西吃，但到了晚上……罗宾很敏感，胆量也小，很害羞；它个儿小的母亲上了点岁数，患了关节炎，偶尔假孕，还患有囊肿……也许它们应该像往常一样被允许睡在厨房里？她会给我们带来食物的，周末它们就跟她一起住小木屋。她的小宝贝们不可能给我们带来麻烦的。

我根本无法拒绝，或者说，找不到任何拒绝的理由。就算费雷尔女士刚中了彩票头奖，她也不能比这个时候更开心了。她热情地拥抱我们，眼里闪着泪花。艾莉急中生智，暗中连忙在我撕裂的小腿胫骨上踹了一脚，我的眼里也充满了同样的泪花。

承诺着很快就给我们带一些杏仁蛋糕和冰激凌来，心满意足的弗朗西斯卡将她的士兵聚集起来，轰出前门。光是瞄到她抬起的凉鞋，哪怕有小东西不听话，也不敢再想潜回屋子里来了。杂乱的队伍启程离开，女头领喊着她将在下午回来，带艾莉去检查房内的一切。托马斯也要来，来向我交代果园的事情。

罗宾和玛丽昂是最后走的，它俩勉强从宝地似的厨房爬起来，侧身经过时，鬼鬼祟祟地看了艾莉和我一眼，尾巴紧紧夹在两条后腿之间。至少这次母子俩没有咆哮。或许它们已经开始接受我们了？

怀着如此仁慈的意念，我们将前夜随机运抵的几个箱子拆开了。剩下的行李将至少在几个星期后才能到达。没有必要担心。遵照马略卡的传统，房子的前主人都"装修好了"。实际上，这造成了我们的不幸。我们继承下来一张笨重的老床，古怪的床头板坚强地抵抗着贪吃蛀虫的侵蚀；一组小而陈旧的三件套家具，肯定是教堂建长椅的人为了让人舒适才设计的；还有一套摇摇晃晃的厨房餐桌和椅子，多年前就已输掉了抵抗蛀虫入侵的勇气。一套可供基本生存的破损陶器，配合着魔术师尤里·盖勒表演特异功能时使用的那种餐刀，构成了所有的"室内家具"。

不过，短暂的不适感很快消散。我们成功向前迈进了一大步，自豪地成为农庄的主人。这是一个很多人曾拥有的梦想，而对我们而言，这个梦想已经实现了。感觉非常满足的我们开始悠闲地打量房子。我将房间需要维修和改良的地方逐一在脑中打着草稿，不过这地方显得古旧了些，有欠打理，但房子其实没什么大的缺陷。当然，这儿那儿需要刷点漆，粉刷的墙壁脱了点皮需要补补，地板砖需要更换几块，几扇百叶窗需要修理，却都不是什么大工程。最主要的是，这房子看起来很友好，我越来越喜欢它了。

"艾莉，"我说，一边走下小楼梯来到厨房，"第一次看到这地方，你就说对了。"我轻轻拍着窗户栏杆上百叶窗滚动的轨道槽，"是的，房子里氛围良好，舒适宜人。肯定是个好事接连发生的地方。你能看出来的。所有房子都是一样的，有的房子能让人感到舒适，有的就不能。反正我在这里有种愉悦的悸动。"

"感谢你能改变想法，和我站在一起。不过提醒阁下，就算你没改变心意，现在也为时已晚了。来，亲爱的，来看一下我们是不是可以用那老厨灶烧一壶咖啡。"

"好主意。不过请帮个忙，不要再给我吃她那种贵妇品味的杏仁蛋糕了。那玩意儿最好的待遇就是拿去喂狗。"

"噢……说到狗，我想它们给我们留了点讯息。"艾莉说着皱起鼻子，指指桌子下面。

的确如此，罗宾跟玛丽昂的"名片"并排放在地板上……一个是块状，一个是液体。突然间，气氛变得有些不那么友好了。我们得到了狗的清晰讯息。跟猫的一样，它们希望我们赶快搬**出去**。尽管我们还不知道，这间友好的老屋已经开始为我们的未来储存诸多惊喜了。

一场茫茫大雪终结了托马斯·费雷尔的讲解，马略卡果园生产管理的美妙课程暂告一段落。无论如何，参加过一期对我而言就足够了。我刚移民来的大脑因为接受西班牙语园艺课程的集中轰炸已经疼得不行，受伤化脓的腿痛得要命，杏仁蛋糕也食用过度，连猫狗都恨我恨得牙痒痒。我累死了。

费雷尔先生喊着再见，穿过橘林去到他的小木屋了，也许是想在不可避免的快速化冻变暖之前，与弗朗西斯卡多实践一些冬季体育锻炼。我不过问，也并不在意。

我扑通一下坐到那把令人极不舒服的椅子上，嗅着厨房里弥漫的农用消毒液的味道。艾莉说，罗宾和玛丽昂"不幸地肚子不舒服"，费雷尔先生坚持要将房间喷洗消毒。

"我一开始就没想真的来这该死的马略卡，"我嗫嚅着自言自语，陷入自我怜悯，"这个地方臭气熏天，根本就是个公共厕所。"我冲着艾莉的背影大声嚷。她正在窸窸窣窣地摸索灶台底部。

她站起来，深深叹了口气，慢慢转过身去。对于我发的牢骚，她显然没心思迎合。"燃气灶的气罐已经用光。现在是星期天晚上，换燃气的卡车星期三才能来。我们去外面吃吧。走。"

我没有争辩。实际上，在去往安德拉奇的两英里路上，我们基本上没说什么话。大片的积雪已经融化，路还是泥泞不堪，雪融后的淤泥在人影罕见的小镇街道水沟里缓缓堆积。小镇居民正待在温暖舒适的家中，我如此推测。这个时候差不多是晚饭时分，大家庭的人会聚集在饭桌上，围绕着大盘时令佳肴尽情进食，欢声笑语，兴致高昂。天黑了，微弱的街灯光线在愈加冷峻的北风里投影在水坑表面，颤巍巍地拉长。可怕的特拉蒙塔纳山风即将到来。

我们慢慢穿过旧城，两边看去是毫无魅力、闪着荧光的酒吧，窗户弥漫着热气。很明显，没有一户经营的是饭馆，没有任何招牌啊！上次吃的热饭还是在飞机上，已经过去了很久；现在饥饿感和疲劳感越来越强，开始变成绝望。

"我想要一大袋的鱼片和薯条。"我呻吟着。但这里是西班牙的乡村，这样的家常美食根本无法获得——除了沿海那些臭名昭著的度假胜地，也许吧？不。我们还没有那么绝望。

一只黑猫从前面蹿过街道，冲进一条窄窄的胡同。艾莉眼睛紧紧跟着它，煞有介事地推着我的胳膊肘。"跟住它，那肯定有个饭馆，不会有错的。"

是上坡路。我们进到略有些高坡、石板铺地的胡同里，那只先前偶遇的老猫蹲坐在书写着"保罗之家——马略卡餐馆"的吱呀作响的手绘招牌下，正喵喵叫。太棒了！我们终于发现可以吃晚餐的地方了。竟然是那只猫起到了神秘的带路作用。店门开着，黑猫跳跃着蹿进去，竟唤出来另外六只猫。我们觉得它们都不是费雷尔太太的猫，就冒险进去了。

"本人佩雷·保罗。欢迎光临。"一个老树皮般沙哑的声音道。主人瘦削的身影从门缝透过来，难以辨认。是个皮包骨的小矮个，用一种狄更斯小说里充满怀疑和算计的扒手般的眼睛朝外面看。他手臂大挥，招呼我们进去，带我们进了我光顾过的最小的餐厅。玻璃门在身后大声地关上，保罗先生跟我握起手来，我感觉手指都要被捏断了。艾莉胆战心惊地躲在我身后。保罗身着成套厨师服，戴着一顶差不多是人类历史上最高的白色厨师帽，几乎可以扫掉不高的天花板横梁上积存已久的灰尘。他衔着一支烟，挂在突出的下嘴唇上，左臂弯里有只玳瑁猫，那猫安详舒适地蜷缩成一团。保罗已经将我目力所及的唯一一条可以离开的路封住了，我们只得跟着他，来到一间塞了五张桌子、小得不能再小的房间里坐下。真是坏运气，我们发现自己竟然是这里唯一的顾客。必须战胜陡然升起的恐慌感，这种感觉就如同掉到蛛网上的昆虫突然发现了自己所处的境地。

桌子上铺着蓝白格油布，台面上是一个烟灰缸，刻着生力牌啤酒的标志。刺眼的灯光照在泛黄的墙面上，上面杂乱地贴着过去安德拉奇足球队的褪色照片和几幅折角的海报，海报上登载着本地赛事日程表、阿根廷将要上演的电影，都是很多年前的东西了。我们似乎闯入了奇特的时间折叠之中。

门的两边摆着两台高高的冰箱，上面白漆斑驳，张贴着从鲜奶到水道清洁工的广告。黑黢黢的房间一角升起一座木制楼梯，上面绕着"闲人免进"的标志（其实根本没有什么可去的地方）。对面是开放式厨房，狭窄的空间半隐藏在高高的柜台后面，台面上摆放着一些杂乱的物什，各式各样的盘子成堆堆起，刀具横七竖八。厨房幽闭处传出最流行的西班牙摇滚乐。"孩子，孩子，我是个野兽，爱情的野兽……疯狂的野兽……耶！"猫躲在人见不到的地方，跟着调子一起唱着。

我们受到了强烈的诱惑，真想一等佩雷·保罗转过身去就直奔店门。可烦不了了。感觉快饿疯了的我们，在死于饥饿与死于有毒食品之间还有什么好选的呢？我们要求看菜单。

"菜单？没有！绝对没有！"保罗雷霆般怒吼着。根本不需要这么装模作样。他每天都会做两道完全不同的菜，但没有选择。只能有什么吃什么。也没有甜点，他颇有兴致地强调这一点。两盘菜下肚后，大家都吃饱了，那些肚里长蛔虫的除外。当然德国人经常会要一道甜食，他想了一下又说，不过就算他们，也只能凑合吃个冰箱里拿出来的冰激凌。

"今天我们的食物该如何安排？"我冒险地探问道。

保罗深吸一口烟，烟卷都快烧到手指头了，剩下一段湿漉漉的烟蒂在大拇指尖和食指尖之间牢牢地捏着。他宣称，首先是他最拿手的鱼汤，这道鱼汤是整个西班牙最有名的。我们应该庆幸今天晚上竟然可以品尝到，因为他那优秀的捕鱼兄弟在今天风暴来临之前，已经亲自到安德拉奇码头为我们捕捉来了一尾细小伶仃的鱼儿。

我们几乎可以预见到保罗拿前几天吃剩的鱼肉碎屑煮了一锅"鲜汤"，也许连他的猫都会拒绝食用。

"那正餐呢？"刚说出口，我就立刻希望我没有说这句话，不过一切进展正如保罗所愿，而且他不接受任何反驳。

"啊，第二道菜是马略卡特产……牛里脊配卷心菜！太棒了！无敌！真好吃啊！"他把头后仰，装模作样地想要舔他的食指尖，就像正常的厨师那样，但是他只是把烟蒂上那个红点如同情节剧中那样夸张地送到缩紧的唇里。"该死的！"他咒骂着，把剩下的仍旧燃烧着的过滤嘴，像扔定点爆破炸弹一样扔在他左裤腿卷着的裤管上。

他开始疯狂地向厨房飞奔，几把椅子七零八落地被撞翻在地。尽管我们没有看到柜台后面发生的事情，保罗高亢的弗拉门戈舞步和大量的泼水声已凝结为一体，制造出一幅生动的精神病院景象。恰似为了响应，那只该死的玳瑁猫如英国民间传说中的报丧女妖般痛苦尖叫起来，蜷缩到艾莉的座位下。我们真失败，来了这么个鬼地方。我们为什么没有到当地疯人院的餐厅用餐？

以一副毫不慌张的样子，保罗又出现了。他调整了厨师帽的角度，用围裙边轻轻拍打着起了水疱的嘴唇，将左脚鞋子里的积水掼出去，礼貌地走向我们，头还是后仰着。他终于保住了尊严……真是不小的代价。

是否可以在食物上来之前先安排点饮料？他问询着（很显然，保罗既是厨师又是领班，洗盘子的服务生也是他）。我们庄严地接到通知，说可以在红葡萄酒、白葡萄酒里挑选一种。我挑了红葡萄酒。艾莉想喝杯咖啡。

保罗的脸上突然冒出了吃惊的表情。"咖啡？不可能啊！"他反驳着，看样子受伤不轻。如果你想喝咖啡，你就得去酒吧。这里是餐馆，他的餐馆，开这个餐馆就是为了让顾客快乐地消费他的食物、他最好的食物，这些都是用当地最佳特产制作而成的，而且完全是自然生长的，没有任何讨厌的防腐剂之类的添加物。不行！不可能提供咖啡。厨师不是烧咖啡的。他制作食物……上等食物！

艾莉最后点了一杯白开水。

一只陶壶稳稳地装着红葡萄酒，伴着一瓶矿泉水，被准时托到了我们的桌子上。一块儿送上来的，还有一碗慷慨的橄榄，一篮堆到篮子边的干面包。收音机被仁慈地关掉了。他的猫同伴结束了仪式般的表演，从前厅里灰溜溜地走掉，我们的厨师先生退回到他的创作室，也就是厨房。

"我在工作现场不能放松警惕。"他澄清着，点着一支香烟，在弥漫的烟圈中隐入厨房柜台后头。

我们狼吞虎咽地分食着面包和橄榄，保罗的歌声和因他的精良厨艺所飘起的香味四处弥漫，勾引着我们的欲望。这葡萄酒太冲，酒劲大了点，但味道不错。"这是马略卡岛中部比尼萨莱姆的特产。"保罗从厨房伸出脑袋来看我们，见我们有好感，就郑重地说道。或者就像艾莉干巴巴地说的，他也许是想看看我们是否还在店里。不管如何，这葡萄酒是从另一位"认为保罗永远正确"的朋友的酒窖里拿出来的上等货色，而且顾客反应不错。

酒进入空荡荡的胃里，那感觉是事前就明了的，不错，令人满意。世界正在变得美好，至少保罗的饭店在每一口酒下肚时，都变得更好了一些。

"啊……我的心如同白鸽……"保罗的歌声渐响，饭食的香味也更加诱人。一个平底大陶罐从厨房里被端出来，保罗高举陶罐，静静地如同在戏剧里亮相，然后仪态万方地大步跨向我们的饭桌，吱吱冒泡的菜肴蒸腾着热气。

这道菜看起来很诱人，白花花的鱼肉让人垂涎欲滴，由西红柿、红酒、橄榄油、洋葱、香蒜和香料调制而成，从第一勺开始，我们就知道这不是普通的鱼汤，我们也本就不该担心食材是否新鲜。这确实是杰作，我们也是这样告诉厨师的。

保罗的嘴角闪着沾沾自喜的笑容。倒也是，他的渔夫兄弟也总是认为他一贯正确的嘛。他看着我们把碗舔得干干净净后，就再用勺子将碗盛满他的杰作。第二碗吃完之后，已有饱意的我们开始考虑下一道菜该如何解决。还有一些零星的鳕鱼和杂鱼残留在碗底，不管我们怎么一直称赞着抗议，说自己再也吃不下了，他也听不进去。艾莉就不用吃第三碗了。她是个女人，保罗已经发现了，她就不必像男人一样吃太多了，但我必须喝完鱼汤。这对我有好处。

在那一刻，门开了，一阵冷风吹进来，几个年轻人和他们的女朋友，伴随着很大的窸窸窣窣声，一边搓着冻冷的双手，一边向保罗打招呼，面容和善地嬉笑着，然后齐刷刷坐到饭桌前。整个场面看起来像一场喧闹的听音乐抢椅子游戏。自然，有两个输了，他们做手势询问着，不知可否坐我们饭桌上的两个空座。我们用手势回复，表示可以。还能怎么办呢？我们根本没有选择。

保罗一阵拍背以示欢迎，嬉笑着在房间里穿梭，给大家送上面包、橄榄、啤酒和可口可乐。他确实人在状态，香烟的火星随身飞舞，嘴里跟沉浸在热烈气氛里的客人闲聊八卦。我们感觉这个小小的场景可能已经发生过很多遍了。

"很好，他要喂饱这群人，也许就会忘记我们的主菜了。"我对艾莉说，"他的鱼汤真是美味，不过三碗过后，我觉得自己有点像胀饱的火鸡。"

"伙计，没机会了。"桌对面的小伙子插过话来，"保罗不会忘记你的。如果你对他的食物感到满意的话，他会给你更多。这是他的场子，新客人应该得到这种礼遇。好在没什么危险，知道吗？没事儿！"

"明白了。是啊，我还真想再来点儿。"我回答道。这年轻人流利的英文让我有些吃惊，想到可能会撑死，我努力表现得不要太慌张。

我们新来的晚餐伙伴显然急于显示他的英文能力，也许是为了引起身边女朋友的好感。这个女孩用一双棕色的眼睛崇拜地望着自己的男友。她一只手托着下巴，另一只手往嘴里填着橄榄，节奏规律得像个机器人。陶冶在这种崇敬当中，她的男友加倍努力地表演起他对英文的驾驭能力。

"我们是安德拉奇足球队的。"他坦露道。他们是来庆祝下午战胜当地劲敌卡尔维亚球队的。他自己是前锋，并且射进了一个决定性的球。说到"进球"，女士兴奋地报以尖叫，在英雄男友的脸颊上亲了一下。他不太乐意地将女朋友推到一边。对这个真正的球星而言，此类举动实在太司空见惯了，已经开始令人厌烦了吧。

"我的英文还不错吧?"安德拉奇版的"马拉多纳"看起来是在发表一个声明,而不是咨询一个问题。不过我们还是表示赞同地点点头。"我在学校里基本没学什么英语。之前在马盖鲁夫的沙滩酒吧打工,我是跟在那边度假的英国人学的。他们教得很好,这些家伙比他妈的学校老师让人舒服得多。没有任何危险,伙计。"他从瓶子里喝了一口啤酒,一个大声的嗝打在崇拜他的女友脸上。这教养,也要拜他的英国伙伴所赐了。

一阵震耳欲聋的欢呼声传来。我们这个聚餐分队的第一大锅鱼汤上场了。保罗大声向我们道着歉,说主菜马上端上来,不过他得先给这群人上完汤。我们也不是不知道,要使猪保持安静,就得把它喂饱。年轻人上钩,一阵咕噜声充斥着房间。保罗回到厨房,不用想象都能知道,他对自己的表演得到大家吹捧非常满意。

"他总是那样一惊一乍的。""马拉多纳"声称,冲着厨房的方向挥动着他的生力酒瓶,"但他确实很爱我们。刚才那吃猪食只是一种表演,每次在这里过瘾都一样。"

"哦……你常来此处?"艾莉迟疑地发话。

"每个周日的晚上都来,亲爱的。不管是赢是输。这里就像我们的俱乐部。喜欢这里已经有很多个年头了。看那墙上的照片。这地方真脏,不是吗?可是这里的晚餐只需花八百个比塞塔……差不多三个英镑。关键是食物好。知道吗，没有危险！夫人，食物非常好。"

艾莉轻轻呷着水，这小小的幕间插曲算是演过了。我把罐里最后的葡萄酒倒入杯中，前锋先生和他的女球迷开始进攻鱼汤了。舒缓而沉静的喝汤声控制了整个饭馆一到两分钟，然后有趣的喧嚣和不可抑制的谈话在西班牙饭桌上重新开始。

"我说保罗，你这不幸的老家伙，能不能给我们这儿一点服务呢！""马拉多纳"开了嗓，扫视我们，希望看到我们给他英式发音的英语以支持。不过，他已经从兴奋过度的西班牙女朋友那里获得了完全的肯定。这外国口音在她听来是那么浪漫。

保罗故意表现得有点过分，忽略其他顾客，自顾自地奔向厨房，端出两个马略卡陶盘，放到我们面前。他闭上双眼，深呼吸，挺直腰板，然后戏剧性地说："牛里脊配卷心菜！请享用，可爱的人儿！"

当我们的眼球还停留在汁多味美的热菜上的时候，保罗已回到饭桌，端上另一罐葡萄酒和数片面包。他悄悄站在艾莉身后，双臂交叠，香烟叼在嘴上。我们品尝了马略卡特色菜肴的第一口。

鲜嫩的卷心菜叶卷着薄脆的牛里脊，每一段汁滑水凝的里脊肉都用细木条插好。盘子底部被厚厚的棕色肉卤如同护城围墙般围着，其上是嗞嗞作响的搁置得如同岛屿的嫩马铃薯、野蘑菇、葡萄干和松子。不管保罗还用了什么神秘作料，他们国家这道经典菜肴的卖相和味道着实让人难以抗拒。

味道？我们什么都不用说了。食客满脸销魂状，已经告诉保罗所有他应当知道的事情。在我们无言的赞许面前，他感谢地鞠了躬，撤回到厨房。

这个时候，在放啤酒的冰箱旁边，我们两个年轻的桌友和他们的朋友正在即兴演绎今天足球比赛的精彩场面。一条面包卷孤零零躺在比店门口的脚垫大不了多少的桌布上。不间断的大声说笑围桌此起彼伏，灯光昏暗的厨房里，保罗的歌声如同海啸："巴伦西亚……"

我跟艾莉已经迷倒在保罗的里脊肉里了，被美妙的刀光叉影包围着，已被高朋满座的欢宴彻然忘却。对我而言，葡萄酒是导致我被遗忘在这场令人悸动不已的群宴会上的罪魁祸首。我一个人喝光了第二罐，没有分给艾莉一丁点儿。在这场饕餮之宴上，她自始至终饮啜着她的矿泉水，非常理智。我现在甚至连如何将这些果蔬鱼肉、汤汤水水灌到自己肚子里，都记不清了。当我把最后一条楔形面包蘸着肉卤塞到嘴里时，艾莉拧眉嘟哝着，简直不敢相信。

"真是场超级盛宴。"我视而不见，"永世难忘。"

"你真是一头猪！"艾莉声称，"你会在回家路上难受死的！"

球队的朋友们终于要离开了。他们一个一个将围巾围好，这个充满活力的小团队走入了寒风呼啸的黑夜中。他们的今宵值得庆贺。

"马拉多纳"在出门时挥手道别："再见，朋友。很高兴在这里见到你。祝愿没人割了你屁股的皮来做手鼓面。没有危险！知道吗？"

"晚安。"艾莉适当地展示了她的风度。

前锋冲进夜的街道，一条胳膊漫不经心地搭在他如同葡萄藤般黏人的女友肩头。她现在已经被自己的偶像那令人惊诧的双语能力震晕了。我冲着这对心满意足的人儿会心微笑，等我有力气挥手作别的时候，我们年轻的朋友已经离开很久了。

那只猫开始游弋着回到屋里来。但"马拉多纳"一离开，就有一条小狗溜了进来。佩雷·保罗笑着弯腰去抱这个可怜的棕色小家伙。小狗激动地扑腾，卷着的尾巴几乎弯成圈。这场面极似老友见面。

"你好，佩皮托，我的小朋友。"保罗轻轻笑着，拍拍它的头，佩皮托则搔着他的下巴并开始舔他的脸。保罗叼着的香烟向斜上方举起，样子就像罗马蜡烛。他得尽力保持这个姿势，以免香烟被小狗的舌头舔到。然而保罗还是被打败了。他没有扔掉香烟，而是抱起小狗，把它安全地放在艾莉的膝上。这使小狗感到舒适。它跟艾莉打着招呼，在她膝上依偎下来。

感觉到温和友好的气氛后，玳瑁猫咕噜噜从艾莉椅子下面的藏身处爬出来，爬到我伸直的腿上，卷起尾巴睡起觉来。

我打着哈欠，感觉脑袋沉沉，直往下掉。眼皮重得不行，嘴巴开合，只想打呼噜。

"嗨！醒醒！自己站起来！"艾莉不满地叫着，"我们是最后的顾客了。保罗先生要关店休息，我们该回家了。"

"安静，安静，先生、女士。"保罗在厨房里抚慰般说着。他没有催我们快点离去，他给他的两个很有耐心也十分有眼光的客人准备了一个惊喜。他在桌上放下一个金属盘子。给艾莉的是闪闪发光的自制奶油布丁，一茶碟带着碎屑的饼干和猪肉松是小狗佩皮托的，还有三杯咖啡。给老板和我的是一人一瓶满满的科涅克白兰地。

小狗在我们脚下狂吃我们给它准备的小欢宴，玳瑁猫睁开一只眼，喵喵叫着，回去睡觉了。很明显，那一夜，安德拉奇的老鼠量一定已经减少了不少。

坐下之前，保罗推了一个燃气暖炉到艾莉旁边的桌下。在这个寒冷的晚上女士需要保暖。找一个舒适的室内角落，待在那儿，在特拉蒙塔纳的山风吹起来时，这是唯一可做的事情。他拖过来一把椅子，举起杯子。"祝健康！朋友们！"

已经过了午夜，但保罗还没有歇息的意思。他还有人生故事要讲给我们听。我注意到艾莉礼貌地止住了一个哈欠，再来一杯咖啡就能治疗她的疲劳，这是保罗的建议。她应该自己到厨房去烧咖啡，没有很多人有这样的机会。

在喝掉两大罐葡萄酒之前，我凭那点根本算不上什么的西班牙语显然无法真正理解保罗。而现在，我醉意十足，顿时发觉跟上他的思维没有那么困难。我一下子跳到结论：这么大量地消费葡萄酒，肯定对人理解外国语有助益作用。这个观点一出，就被妻子给揪住了。她指出，保罗在经过几个小时的西班牙语会话后，现在的语速已经变慢了；而且在我们的穿插之下，他开始蹦英文词。

无论如何，佩雷·保罗的故事很吸引人。他确实与众不同，具有真正的怪咖那种近乎完美的独立个性。他经过严格训练，拥有几个"厨艺大师"的头衔，他曾在岛上几家最好的酒店做过厨师长。为什么呢？他甚至在帕尔马皇家游艇俱乐部的许多大型宴席上为西班牙国王做过厨师。但是他一直怀念着自己的家乡。当最终疲累于取悦那些挑剔、嘴刁的游客时，他高兴地放弃了帕尔马五星级的酒店厨房，来到这个小地方，他自己的生养之地——安德拉奇。

在这儿，他可以调制符合马略卡传统、有他个人独特风格口味的乡间菜系。这些菜都是由当地农产品制作而成，他的祖先曾经享用了几百年。他强调说，他只招徕那些喜欢他制作的食物的人。（难道还会有其他人愿意来他这个简陋的处所？）他根本没有必要去迎合那些挑剔的"土豪新富"，他们只乐于装腔作势和抱怨，根本对享受美食的快乐无动于衷。"一群笨蛋！"

保罗边说边做着鬼脸，又倒了两杯白兰地。特拉蒙塔纳的山风在外面嘶吼。燃上一支香烟，保罗看着躺在我腿上睡熟的玳瑁猫，又望了望暖暖依偎在暖气前的另外几只。思考了一会儿，他宣布："公共卫生官员讲起话来真是狗屁不通！绝对是一群白痴！"他们怎么敢说因为养猫，厨房就不整洁了？猫是干净的动物。有几个公共卫生官员能用舌头舔干净自己的屁股？别拿猫说事儿。老鼠才是脏动物。老鼠传播疾病，但这儿并没有老鼠在厨房内活动，这正应该感谢猫。厨师们在几千年前就鼓励在厨房里养猫，公共卫生官员的批评根本毫无道理。停止争辩吧！对了，还有一件事，为什么做饭的时候不能吸烟呢？烟火不分家，火里没有也不可能生长细菌。炭火烤肉现场会有更多的烟，而且烟灰甚至跟食品接触得更多。烟灰也并没有一丝落在他的食物上。"公共卫生官员？一帮杂种！"

保罗攥紧的拳头砸在桌上，金属盘子弹落到地上，在地板砖上摔掉了一只盘耳。吓坏了的猫四下逃窜，那条没有规矩的小流浪狗赶紧从艾莉的膝上跳下，正好落在我们玳瑁猫朋友的背上。我感觉到一阵熟悉的猫爪抓过的疼痛重新回到我那条伤腿上。

该回家了。

— 2 —

天然气与修女

"我知道你的农庄里再也没有母鸡了，因为弗朗西斯卡在你来的前一天已经把它们全部绞杀，搁到锅里了。"这个老年农妇笑着说，一边递给我一篮个儿大的棕皮鸡蛋。"你摸摸，其中一些还温热呢。"她说着，抓着我的手猛拽到篮子里，"这些鸡蛋非常新鲜。是吧？"

它们当然新鲜，一副很老式的新鲜模样。零星的软鸡毛粘在蛋壳上，还沾着些脏脏的排泄物，跟我小时候在奶奶家的鸡窝里捡的蛋完全一样。突然，这让我意识到我们过于"激进"的行为让我们习惯了购买超市货架上那些消过毒的鸡蛋。它们看起来干净，按等级分别贴上标签，盛在塑料筐里，常见得很。不幸的是，现在的孩子们肯定会以为母鸡是在六只装的盒子里生蛋的，这样的孩子实在很多。

我瞥了几眼那些"货真价实"的鸡蛋，眼睛肯定有些湿润了。

"先生，你不喜欢这些鸡蛋？"农妇有些糊涂了。

"哦，"我让她放心，"上面的鸡粪让我一下子想起了我的奶奶。"

她搔着灰色的头发，哆哆嗦嗦以一串咒语一样不清楚的语言结束了我俩的谈话。我确信，在当地马略卡的方言里，这咒语的意思是"外国疯子"。

我其实是个好心人，虽然经常被人误解。我冒冒失失对她的友善表示了一番感谢。对我而言，用西班牙语来解释我被她那一筐真诚的、沾满了鸡粪的鸡蛋所引发的思乡之情是很困难的。但我尝试了。

她把一只因劳作而显得有些变形的手放在我的手上，止住了我结结巴巴的话。"安静，先生。不用紧张。西班牙语也不是我的母语，每当我不得不开口说这种语言时，我总要搜肠刮肚找合适的词汇来表达。在过去，马略卡人只说马略卡语。所以，现在如果要我用西班牙语说话，我得慢慢来才行……跟你一样啊。像外国人。知道了？"她的眼睛闪烁着，像两颗黑珍珠。她的笑容凝缩在脸上，五颗雪白闪亮的牙齿——两颗上牙，三颗下牙——全露了出来。她那令人难以抗拒的笑容感染着我，看到我理解了，农妇鼓起掌来，暗自得意。可她的表情很快落寞起来，显得忧伤，变成对自己的一串咒骂。我猜测这次的重点是鸡蛋、内战和士兵，还有那些非常不地道的西班牙强盗。

我开始介绍我自己。

"我懂，我懂。"她打断了我的话，"弗朗西斯卡·费雷尔——我们称她伯爵夫人——曾向我说起过你。我呢，我叫玛丽亚·包萨，你的邻居，也是北面隔壁那个农庄的主人。我必须得感谢你，先生，你买的这块地终于将我的种植园跟费雷尔先生家的分开了。感谢上帝。"

她坦陈自己没有太多时间理会弗朗西斯卡·费雷尔，尽管我很想问为什么，但觉得现在还是控制一下自己的好奇心比较好，作为刚到山谷里的新人，还是个"外国疯子"，我的首要目标是和所有邻居建立起友谊……当然，如果一切顺利的话。

一堵石墙隔开了两家农庄，石墙旁是一棵枝丫伸展、遒劲有力的无花果树，我跟她正站在树下面。包萨女士弯腰下去，少女般苗条的身段全部包在得体的黑衣下。黑衣遮满全身，这正是老年马略卡乡村女人的传统。穿过果园的时候，我都没有注意到她站在树荫下。很多次，我都会为岛上农夫悠然融入绿树点缀的景色而心怀感动。说实话，如果老玛丽亚没有和蔼地开口称我"先生"，我还真就沉浸在欣赏景色里，根本关注不到她的存在了。

这是冬天早晨一个美丽宁静的时刻，大约九点钟光景。

早晨煦暖的阳光化开了田野上蒸腾的蛛网般细细弥漫的淡雾，四周仍旧保持着昨日雪融的湿气。潮湿土壤的霉味，柠檬树刺鼻、奇异的香气混合着红松淡淡的气味以及从周围山体散发着的树烟，将我的头团团包围。远处塞斯佩耶斯山平整的山顶悬挂着条带般缥缈的白云，浑圆而巨大的岩石高高耸立，竖在山谷北端出口两侧，阻挡着冬天由北欧袭来的最恶劣的冷空气。每到这个季节，地中海沿岸干燥寒冷的北风便呼啸而至，穿过法国罗讷山谷，咆哮着撕开地中海的上空，怒气冲冲进入巴利阿里群岛。

特拉蒙塔纳的山雾在晚上已经散开了。安详和宁静重新回归山谷。偶尔从山上种植园传来一两声犬吠，散漫地打碎这个安宁的时刻。远处的农庄慢慢消失在山谷背后，依稀可辨，它们存在的唯一依据，就是烟囱里升起的袅袅白烟，飘荡在被密林覆盖的冬天略显清冷的山坡上。

"几乎没有人住在那里了。"老玛丽亚一边说着，一边随着我的目光注视着高高的山脊，"山脊后面也没有什么其他山谷。但在以前，几百年以前，他们说摩尔人统治岛屿的时候，山脊上的土被挖来做防御平台。很多家庭从狭窄的梯田搬到这里生活，种植一切适宜作物。在树林里，他们就养猪，瘦削、墨黑的马略卡猪。哦，那些猪因为吃了橡子和树林里的其他果实，肉质鲜美。猪群在树木当中寻找食物，和森林是共生的关系。树林腐殖质提供猪群饲料，猪群将树林打扫得干干净净。完美的结合是不是？在过去，树林从不着火。"

我就问，在供水车进来以前，山地居民是如何把水弄上去的，然而她正沉浸在深深的回忆里面，听不到我的话。

"你需要养一头猪，先生。种植水果的都应该养一两头猪，你必须用合理的方式来管理农庄。养猪能带来好回报。养母鸡也是。你得养些鸡，伯爵夫人已经将她养的鸡都杀掉了。"

她快速摇动着头，颤巍巍地，仿佛吞下了什么脏东西一样。弗朗西斯卡·费雷尔显然不大受欢迎。

我表示了诚挚的感谢，并接受她的建议，说等一切安排妥当之后，一定到集市上买一头猪，再买上几只鸡，回来养着。我担心的是我们的橘子。我们有两三百棵橘树，橘子熟了，需要有人来帮忙采摘。也许她能推荐几个商人，来买我的橘子？

"他们怎么把水弄到这儿？男子汉，他们没有，根本不可能。"她耸着肩膀，没有任何心理换挡的征象，老老实实按她的思路回答我倒数第二个问题，"下雨的时候，屋檐上淌下的雨水都会被收集到一个地下水箱里面。水箱嘛，你家也有一个。很多山地农庄不像这儿的山谷一样有水井，因此冬天存在水箱里的雨水是漫长夏天唯一的供水来源。"她食指和拇指交叠，轻轻搓着，"对马略卡农场主来说，水如同金子一般宝贵。许多世仇都是争夺水井和宝贵水源引发的。先生，你马上就能领会这个新的西班牙语词汇了,'水'。"

她像一位智者一般点着头,让我怀疑包萨先生和费雷尔是否也曾因争夺水源而交恶。看来对这位老妇人而言,"费雷尔"这个词跟"水"都能引起她的不适。

"托马斯·费雷尔告诉我,我们农庄里的水井是整个山谷里最好的一个。我们真是很幸运。当然,费雷尔一家在周末的时候还拥有独占该井的权利。我们在购买这个农庄时,就是这样签的协议,只是我的律师提醒过我,在这里,卖一部分、保留一部分农庄使用权是很正常的。看起来很公允……当然,如果双方都守规则的话。你们马略卡人……一定是值得信任而且很愿意合作的居民,是吧?"我打趣道。

老玛丽亚很快扫视了一眼橘树。"去问一下豪梅,我的女婿。他会教你如何卖橘子。"她拾起我倒数第二个话题回答,"他帮助我管理我的农庄。我再也搬不动这些纸水果箱了,再也不能像以前那样。"她低下头,挨个儿敲打着左手的手指。"我……我今年八十二岁了,因此豪梅负责卖我的橘子。不过还是由我来管账。我还不算太老。"她又展示起她那闪耀着白净的五颗牙齿的笑容,"男子汉,我永远不算太老。永远不算。"她静静地笑笑,转身要离去,"啊,先生,顺便代我问候你的夫人……我希望你能喜欢这些鸡蛋。"

老妇人蹒跚地穿过成列的柠檬树,停顿了一下,转过半个身子,尖声叫道,整个山谷都能听到。"不要跟我提同邻居分享水井的事！”她宛如一个小精灵般眨眨眼睛，然后大声和我咬耳朵，“你很快就会知道了，先生。你会知道的。”

去他的水井吧！我确实有很多东西要知道。我一边思考，一边感觉心里沉甸甸的。穿过田地，我赶忙回去。上帝啊！看看那些让人提心吊胆的橘树吧。我还需要搞懂如何施肥、如何修剪、如何喷药、如何浇灌；直到目前为止，我能搞懂的只是将枝头上晃来晃去的橘子跟柠檬分开。不过，至少在如何销售方面，老玛丽亚·包萨给了我一些提示，这就很好了……目前需要解决的是，分享水井我是肯定中圈套了，还有那些猪，那些鸡，以及树下长着的杂草，我连辆拖拉机都没有……

“你今天早上冲澡了吗？”艾莉从盥洗室的窗户里探头出来。我从屋前一小片杏林穿过，进了屋。

“没有。还没有。不过我觉得，你不可能从那么远就闻出我身上的味道了。”

“别介意。盥洗室的水管好像有点问题。没有热水。”

锅炉位于仓库阴暗的一角。仓库是用来选拣和存储水果的，占了房子底层的大半部分。等我到达的时候，艾莉已经站在那儿，把地板上的燃气罐弄得叮当作响了。她在拽连接燃气罐的橡皮管。

“天然气在罐子里，跟锅炉的接合处没有问题。灶台的引火火苗亮着，一切都很正常。不过……等一会儿。有天然气泄漏的味道。闻到了？没错，这是管道工的工作。"

我没什么好说的，除了很无力地说："是啊，如果你问我的话，我想说那老锅炉对这房子而言小太多了，反正就……"

胡安是一个出色的管道工。他既是管道工，又是电工，因此他在安德拉奇农贸市场上的小门面，就像一个阿拉丁山洞，里面堆满了吊灯、墙灯、电烙铁、烤面包机、散热器、电风扇等，甚至还有两台冰箱、一台洗衣机和一个微波炉。店铺由胡安的妻子照看。她瘦高个儿，表情愉快，看起来也才十几岁的样子。他们的三个小宝贝在柜台后面撕扯着母亲的裙子，我们听到至少还有一个婴儿在里屋哇哇大哭。

"我丈夫很忙。"她告诉我们。

"看上去不忙呀。"艾莉吞吞吐吐地一边说，一边看向柜台里面那群不到五岁的孩子。

"不管如何，他会在今晚八点钟准时去给你们修理锅炉。我们住得离你们那里不算太远，这样他就可以在回家吃晚饭时顺路去完成工作。"

"这种拖延症都快成一种病了：'明日综合症'。"离开店铺的时候我强调着，"这就是所谓的'服务'。"

运燃气罐的卡车实在太长了，在我们的院门处掉不了头，因此弗朗西斯卡·费雷尔告诉过我们，每个礼拜三可以把空的气罐（钱放在下面）放到巷子尽头，尽管在紧急的时候，每个礼拜一和礼拜五，我们也可以开车到安德拉奇镇上，偶遇运送燃气罐的卡车来加燃气。今天是礼拜一，我们把连接厨灶的气罐拖进车里，准备在十点整开始我们的卡车搜寻之旅，觉得直奔身为主广场的西班牙广场，就有很大可能撞上大运。果然，跟预期的差不多，我们碰到了装气罐的工人，他正在努埃沃酒吧外面和几个地方名流放松地品味着上午的咖啡和白兰地。装满了可燃气体的橙色卡车孤零零地停在广场一角，一侧轮子在人行道上，另一侧位于车道上。

"不好意思。"我说。这时的他终于感觉该回车上了，晃晃悠悠地颠着步，粗短的雪茄在唇间晃着，如同半截棕色香蕉插在了脸形的草莓牛奶冻上。"不好意思，我要灌一瓶燃气。"

他举起一个满满的气罐，搬下卡车，然后将我的空气罐装上。我给他点好钞票，他将燃着的半截雪茄夹在我那满满装着燃气的罐颈上，在口袋里到处翻搜零钱。我静静地闭上眼睛，等着爆炸声响起。然而唯一传来的是这个家伙不怀好意的笑。

"难道这不违反规则吗？不是很危险吗？装燃气罐的时候抽烟！"我问得很尖锐。

"危险？"他把零钱交给我，耸了耸肩膀，"朋友，如果开车时有人误撞上我——这个岛上疯子多——这个卡车就会像原子弹一样爆炸，而我恰好也在里面。朋友，我在跟时间争命。在我活着的时候，我会舒舒服服的……我喜欢抽烟。"他拿回他的雪茄，爬到卡车里。

"来都来了，为什么不买两瓶呢？"艾莉在车里朝我吼，"我们可以存一瓶。""不可以啊，女士。"工人回应道，摇着头，一只眼睛紧闭，对着雪茄升起的烟圈，这雪茄现在安全地塞回了他的脸上。他解释道：如果我们要买两瓶燃气，必须再给他一个空的气罐，或者拿出燃气管理部门的证明材料，说明我们被授权可以购买两罐。空的气罐，或者证明材料，就是这样。"我很抱歉，先生。"他又耸了耸肩，发动了汽车马达，车子轰隆隆地开起来，雪茄烟圈就隐藏在柴油马达的烟雾里了，在广场上空飘荡，仿佛最后的莫希干人发出的告别信号。

"为什么我们非得要开具一张纸来证明我们可以买一罐备用燃气？"我愤怒了，"为什么他们不干脆收笔定金，就像他们本地人那样？"

"正像刚才那个人说的，这就是他们这里系统的问题。这里面肯定存在某种逻辑。"艾莉总结道，"但我们站在这里没法搞清事实真相。我们去找燃气管理部门。"

"我们需要一张证明，这样我们就可以多买一瓶燃气。我们没有空的气罐，因此我们需要一张证明。"如同鹦鹉学舌，我对着毫无兴趣的公务员嘟嘟囔囔。一辆轿车咆哮着从外面繁忙的路上驶过。

"什么！证明？"这个办事员皱着眉头，不敢相信地看着我，就好像我向他传达了惊天新闻，比如他妻子生了六胞胎，每一个竟然都跟教皇长得一模一样。"干吗用的？真是不理解。"

另一辆重型卡车呼啸着开了过去。

突然间，我那本来就少得可怜的西班牙语词汇变得完全没有用了。我真的不知道为什么我非要一张凭证，而且我每次尖刻的提问都被扼杀在交通工具的噪声里了。我很痛苦地尝试用海外英国人老式的语言技巧，高嗓门地、慢条斯理地吼这个办事员。然而，我又发自本能地认识到，这毫无作用。这个家伙看得出我累得要死要活，可他享受着每一分钟。我只好努力使用西班牙语。

我的几次解释都无法使这个家伙明白，于是我准备建议艾莉选用一个最简单的处理方案，即全部使用电驱动。这时，那个办事员意味深长地讪笑了几下，然后用英语表达道，只有我们给他看新购置电器的商店发票，他才能给我们办理证明材料。

"但我们确实不需要再买一个用气设备啊。"艾莉反驳，她那正常情况下很难耗光的耐心一下子就被用完了，"我们只要一瓶备用气。我的意思是，这一切，什么凭据、电器、发票，完全是疯狂的行为！"

办事员靠在椅背上，双脚交叉搁在办公桌上，神气地宣称："也许是疯了，夫人。但这个系统它运行良好。在西班牙没有人偷空瓶。"

"朋友，这种状态应该在今天被改变。"我含混地说着，挽起艾莉的胳膊，趁她还没有用准备好的手提包砸到那个办事员脑门上之前，把她拽出门去。

回到房间，她的怒气依旧没有消掉。

"接通新的燃气罐。"她咆哮着，"我要用老玛丽亚的鸡蛋做中午饭！我会当它们是那个狗娘养的办事员的脑袋，碾碎了来做菜吃！"

我拔下厨房燃气灶的胶皮管，接到新的燃气罐上，打开燃气阀。燃气阀的旋钮在我手里弹开了。

"这下怎么办，艾莉？现在这要命的厨灶可能要炸成碎片了。"

"别演了。用扳手或者什么东西把它上牢。即兴发挥吧。"

我认真地用钳子夹着弹掉旋钮后剩下的转轴，将它拧紧。嗞嗞的声音和味道使我确信天然气还在泄漏，解决一处问题，就带来一处新问题。我无法关掉燃气罐。转轴现在是在"打开"状态，再怎么拧或者骂人，都丝毫不为所动。绝望之下，我使劲用钳子将转轴拧了一下，这下倒好，第三个问题出现了——厨灶里发出一声清脆的响声，转轴不见了，天然气继续喷出来。

"我们有大麻烦了!"我急促而紧张地边说边要离开厨房,"快跑!"

"用脑袋想想!上帝保佑!在你熏死我们或者炸掉房子之前,把燃气罐拔掉!"她猛地将鸡蛋摔进冰箱,哐当一声关上门,"好了,伟大的消防员先生。昨天我们有厨灶但没有天然气;今天我们有了天然气,却要失去厨灶!想出聪明点子了吗?"

帕尔马的海湾从来没有像现在这样闪耀。迎着中午的阳光,我们沿着高速公路驱车离开安德拉奇。金色的太阳悬挂在深蓝色的天幕上,阳光照耀着波光粼粼的湛蓝的地中海海面,闪烁着点点金币一般、钻石形状的光斑。几天来融化的雪水将沿路的建筑景观冲刷一新。贝尔韦尔城堡那高大的米色圆顶建筑掩映在碧绿的山林里。混合着明亮的日光,山林祖母绿般条条映衬的柔和光线从我们左侧的车镜滑进视野。奇妙的松香与桃金娘的混合气味在咸湿的海风吹拂下,让我们感受着冬天活力四射的温暖空气。

我们驱车盘旋而上,通过了帕尔马别具风韵的旅馆和饭店区域。这里的海岸景色无与伦比,那些高楼大厦层叠起伏

马略卡之冬:雪球橘

的山坡，也曾是羊群在绵延千年的橄榄树与杏林中安安静静吃草的地方。我们继续沿着海边大道行驶。这是帕尔马港对岸一段风景别致、棕榈成列的海湾高速公路。公路环绕着大海，下面海湾的土地是填海而成的。这条公路不只是一条满足大量旅游经济需求的交通生命线，也是一条观景览胜的大道。当地的帕尔马人和外地游客都喜欢在这里散步、游玩，呼吸海边清新的空气，三五成群地拐进街角的咖啡馆，眺望帕尔马海湾美不胜收的景色。这里一度是劫匪海盗的避难所，也是把岛上贸易与世界连接起来的老实巴交航海船只的避风港。

红灯亮起时，我停车看那旧的码头区。渔人在阳光下晾晒、织补渔网，附近一些旅游者坐在高高的海枣树下啜饮饮料，目不转睛地盯着城市的历史遗迹从古老的防波堤上突出来，这坚不可摧的防波堤如今已是多余。村落里的古老风车，如今改成了时尚的酒吧和夜总会；那些过去航海时代富商的豪宅，也被今天靠旅游业发达的成功人士买去，修饰成带有自己风格的寓所；帕尔马大教堂威严高耸、令人敬畏，石灰岩质的双塔尖高耸入云，被冬天的阳光涂成一抹玫瑰红，诉说着教堂对城市与大海而言无与伦比的至尊地位。

灯变绿了。在几秒钟内我手忙脚乱，调到一挡，放开刹车，十多辆早已等得不耐烦的车在我们后面疯狂鸣笛。

"你这个游客！"一辆出租车驶过，司机用他胖胖的手掌拍打着脑门，冲我怒气冲冲地瞪大眼睛，在下一处红绿灯出现之前，这个家伙"嗖"的一下，抢到我前面去了。我还没有掌握超车技巧，但这技巧，你要是想在帕尔马开车去任何地方，都是必需的，不然当地的司机师傅就会让你感觉像在特拉维夫沿街卖猪排一样受欢迎。

这些城市飙车高手的车从两侧鼻子贴屁股地超过我们，雄赳赳气昂昂，香烟叼在厚厚的胡须下面，左手耷拉在窗外，拼命地鸣笛，催促前面的司机，生怕前面司机的脚掌离开了油门踏板一毫米。一有漂亮的女司机出现在旁边车道，混乱程度就自动升高，差不多就要有连环相撞的危险了。妙龄女郎就更是各车道热情抛媚眼的目标。一些男人甚至会摇下车窗向后张望，上下打量美女的车子，仿佛车体就是美女胴体自然延伸的一部分，同时男司机依旧全速行驶，差点就贴在前面车的屁股上。

厨灶使用说明书在手，我们驱车直接前往帕尔马最热闹的商业区，寻找代理商的货品陈列室。

左拐右拐离开海边大道，我们冲进一条窄窄的坡路，经过老摩尔人的阿尔穆戴纳王宫，喷泉在亚热带植物编织的藤架中间，给一排疲倦的老马低声唱着催眠曲。马儿三条腿站着，拴在一辆敞篷马车上，赶马车的人正在懒散地打瞌睡，静静等待冬日零散而来的好生意。

事前没有任何预警，路突然变窄了，街道两边悬铃木华盖相连，遮住了宽广的波恩大道上空。车队形成一列纵队，如同碰碰车比赛一样缓慢前行，经过装饰豪奢的高级橱窗，里面最新款的服装、雅致的皮革制品和昂贵的手表及珠宝，在石雕建造的西班牙古典建筑阳台下熠熠生辉。

"卖厨具的那个店在前面街道的左边。直着向前走就到了。"艾莉说，"瞪大眼睛找好停车位。"

"会走运的。这里没有左拐道，不管如何，在这里找到一个停车位的概率，就像佩雷·保罗大师的餐馆被列入米其林指南一样大。"

我踩了一脚油门，车就沿街驶向了胡安·卡洛斯一世广场。我们又一次经过闹哄哄的广场人群，向右转到博施酒吧，道路两旁尽是店铺，东张西望的游客穿着短裤和夹脚拖，衣冠楚楚的商人身着开司米西装、戴着卡雷拉墨镜、跷着二郎腿坐着；出来见人同时希望被人看见的学生艳羡地盯着这些人才，能盯多久盯多久，但其实一杯饮料都不会买。

"跟厨具店说再见吧。"我哼哼着，"我们肯定要在交通堵塞里滞留半个下午。也许只有上帝知道我们什么时候才能结束这一切。"

"看哪！"艾莉尖叫着，"那儿有一个地下停车场。瞧，这里有个绿色标记，一定有空位！赶快啊！"

她抓牢了座椅扶手，我将方向盘摆向右，飞速从两辆大巴之间挤过去，差一点与一辆坐满修女的轿车相撞，她们也要停进去。看起来平分秋色。如果是在大不列颠，我一定会礼貌地说"女士优先"，但这是在西班牙，我刚刚才接受了他们恶心的驾驶技术指导。再说，我不过是个"外国疯子"。

"见鬼去吧！入乡随俗！"我吼道，在修女面前厚颜无耻地打着方向盘，赶在她们之前到了收票的位置。

"彼得！别这样，太可怕了！"艾莉倒抽一口气，惊恐地盯着我，"我为你感到羞愧。可怜的修女。你那'入乡随俗'的态度对西班牙女性是无礼的，尤其是对修女。"

"所以像那些好色的西班牙司机一样打量女性就正常，抢她们的车位就不正常，这是你说的？"

"差不多吧。我为你感到羞耻。这并不好玩。如果修女们介意的话，她们准保会将你骂得体无完肤！她们是侍奉上帝的有美德的女子，你该感到庆幸。"

"也许吧。但被修女们骂一顿，就能换取此处的一个停车位，我还嫌价钱不合适呢！太便宜自己啦！我先来的，正大光明。修女们会照顾她们自己的。"

"早上好啊。有什么能为您效劳的吗？"店主巴结道，大约来自70年代的喇叭裤下露出一双漆皮便鞋，滑过陈列室地板。这是一个矮胖的家伙，不自然的黑发拉在脑壳上，仿佛戴了一顶油腻的丝绒游泳帽。墨西哥萨帕塔式样的小胡子修剪得很工整，左侧轻微地向上横翘，突出的金牙牵引着单侧面部，似乎一直在坏笑，吸引了全部注意力。

他看上去就像患有贝尔麻痹的黑皮肤舞男彼得·洛，更适合在肮脏的市中心舞厅整夜跳探戈，而不是在远离市中心的奢华百货店里给电冰箱和厨具打广告。

我把厨灶使用说明书交给他，用手指指着控制面板的指示说明。"旋钮和转轴，都坏了。"

他那斜视的视线平缓地延展成满面的微笑，变色龙一样的眼睛闪烁着来活儿了的快乐。我们这个厨灶太过时了，他得意扬扬地告知我们，生产商也早都破产了。当然也没有配件了，而且按现在的状况，厨灶确实很危险，非常危险，弄不好就会炸掉！

在陈列室做起芭蕾舞动作的他和颜悦色地建议我们，唯一的方案就是放弃这个旧的，买一个新的。在陈列室里，我们有幸拥有马略卡最丰富的厨具品种以供选择。五分钟以后，我们兜里少了好几百镑，骄傲地（也有些头昏和不满地）拥有了一个结实的、胖乎乎的款式，烤箱边上有个专门的隔间可以把燃气罐藏起来。这很重要。

这厨具适合传统的农庄厨房，是个明智的选择，销售员一边确认，一边将保修书和发票交与艾莉。"保存好您的发票很重要。这样您可以凭票购买新的燃气瓶，放在专门的隔间。注意收好发票。"他再一次强调。

难道我们会不知道吗？要跟更多的比塞塔告别，我突然没了心情去面对地下车库的情形。

"真不敢相信。"眼睛慢慢习惯了黑暗后，我哀号起来，"轮胎漏气了！"

我愤怒地从后备箱翻出备用轮胎，艾莉保持站立姿势，静静地自己哼唱着。"我该把千斤顶支在哪儿？"我蹲下身，隐约能看到车底。昏暗中我摸索安装轮胎的位置。没有灯，根本就找不到。

艾莉打开车门。"这样，把里面的灯打开，也许能帮上些忙。"

"哈！这样好多了。"我把千斤顶支了起来。

"现在我们有点进展了。好主意！艾莉。"我很快从车底把头伸出来，不小心撞在了开着的车门下侧，痛极了。"怎么这门还开着？"我吼道，抬腿给了拆下的轮胎一脚，没踢着，反而把被猫爪抓伤的小腿又狠狠撞到汽车横杠的一角。

"主耶稣啊！"我几乎是悲痛地怒号，"圣主啊！"

就在这时，修女们的那辆车在阴影中显现出来，她们在缓缓地向出口开去。我刚好可以看见她们看到我坐在水泥地上一脸惨相地揉搓着头和腿后，脸上浮现出一种沉静而满意的表情。

"她们不能这样。她们不会这样的。"我说出了自己的想法。

一个年长的修女从后车窗探出头来笑，冲我做了个胜利的手势，只有最虔诚的信徒才会认为这是一种天赐的祝福。

"她们能这么做，当然也应该这么做。"艾莉干巴巴地表示，"但正如我说过的，我确信那些女士不会做这种事。你爆了轮胎，更可能是上帝在惩罚你。"

我并没有被说服。

回到燃气管理办公室，我们将新的发票呈给那个办事员，他出具了一份价值无限的证明材料，一脸"我就告诉你吧"的得意的笑。

"给您，先生。我说过的，这套系统非常好。现在您可以一个灶配两个燃气罐了。天哪！"

我们接受了现实，沉默地转身回家。

尽管我不该相信不可能发生的事，胡安这个管道工（如同所有地方的管道工一样）三天之后终于出现在我们面前。我们几次三番发疯般地打电话催促他妻子找到他，得到的是各种老套的借口，要不这家的管道破裂需要修补，要不那家的下水道堵塞需要疏通，每一件事都很紧急，都需要马上办！哎呀，胡安的妻子半夜起来看到他还没回家，差不多都一个星期了。

"真是一场灾难！"胡安宣称。这个年轻人有一双无比鲜活而明亮的眼睛，我实在看不出他是经常超时工作、休息不足的管道工。"您家的锅炉报废了。开始漏气了。会爆炸的。"

现在我们拥有了另一项被费雷尔女士用现代装备掩藏起来的炸弹隐患。真是太可恨了！先是厨灶，现在是锅炉。我感到自己的钱包又开始变薄。

胡安跟我们说，他对这家的热水锅炉很熟悉，多年前就很危险，然而费雷尔太小气，就是不肯换。而且对这么大的房子而言，这个锅炉实在太小，供应的热水有限。他指着下面的小陶瓷浴缸。这个锅炉本来设计的就是供应这个浴缸的热水。

"是的，我也觉得实在太小了。"我有气无力地表示同意。我反应过来，胡安肯定是把我们当成了典型的过分乐观的外国傻瓜，在狡猾的当地人那里吃了苦头，买了一房子垃圾，现在正在手足无措中。

"顺便问一句，您家的电线如何？"他戴着电工帽，一边疑惑地眯着眼睛摸墙上古老的保险丝盒。我们的问题还不够多吗？

"你既然问了，我就直说。保险丝承受力太弱。每当我们同时使用电热水壶和烤面包机，保险丝就会断。"我一边说，一边觉着自己真是愚蠢。

胡安以西班牙的风格耸着肩膀："太多问题了。早该处理处理。"这个房子的供电需要大修，他声称，并真诚地望着我的眼睛。实际上，没有发生大规模的燃气爆炸或者保险丝走火，这才是个奇迹。我们需要一个大得多的保险丝盒，有一个现代开关，这才算符合规定。供电线路也要重整，换正确容量的。目前的装备，只够点亮几盏灯。"老天，这真是个潜在的灾难！"锅炉也有问题。我们应该扔掉用燃气罐的愚蠢小装置，直接使用电锅炉，一个质量好又大的，更干净，也更安全。如果需要的话，就把燃气罐留着当备用，总是很方便的，如果有一瓶备用燃气，不是吗？

还要你说？如果他知道我们刚刚参加了一次野蛮疯狂的换气竞赛活动，就为了得到一个备用燃气罐，现在我们将拥有两个了！

"哦……能趁你还在这儿的时候顺便看一下洗衣机吗？"艾莉谨慎地问道，生怕得到一个难以避免的答案，"甩干不太好使了……"

"洗衣机？太太啊，我必须诚实地告诉您……"胡安停顿了一下，迅即转向洗衣机，"这桶烂铁早已多年无用。快速甩干功能差不多十年前就坏了，老费雷尔坚决不肯拿钱来维修这机器。他的夫人从来都是在帕尔马的寓所洗衣物。这烂玩意儿早就该彻底扔掉了！垃圾！"他轻轻踹了一脚洗衣机的底座。洗衣缸里一阵金属震动声，然后，门脱落了。胡安用大拇指一端摸了摸鼻子，尽全力掩饰住笑容。"太太，我觉得很对不住您。"

艾莉和我四目相对，悲哀地想笑，先用抖着肩膀的微笑来表达内心的悲怆，然后大笑，几乎是歇斯底里的狂笑，抹着眼泪，捶着大腿，两腿交叉着大笑不止。一切真相大白，我们根本就是人家的玩物，自始至终都被费雷尔操纵在手心里。如今，大笑是最好的药了。老天，笑真是最好的药。

胡安悄悄退到门边，紧张地旋转着门把手，可能在想这间老房子是被一对外国傻瓜占据了。他准备离开。如果有必要的话，得快速离开。

"别紧张！胡安。"我说道，努力保持镇定，"这只是一种缓解压力的方式……"我用手肘轻推了他一把，让他放心，"知道我的意思了吧？"

我从他惊慌失措的脸上确信他依旧无法理解我们的行为，因此我谨慎地回到讨论工作的话题上。"胡安，你去准备一份清单，把所有要更换的东西都写下来，算一下成本，我们明天可以到你店里去拿。如果价钱合适的话……"我把一只手放在他肩膀上，他急忙甩掉，如同触电一般。"如果价钱合适，而且如果你保证会尽快完工，我们就完全包给你来做。可以吧，胡安？"

"哦，先生……很好，没问题。"他支支吾吾地答着，摸索着门把手，"明天再说吧……好吧。"

门吱的一声打开，他一阵风似的消失了。

"我们大白天就把人家给吓着了。"艾莉说，还在揉眼睛，"他再也不会到这里来了。"

"你信不信，我们在谈一个诱人的合同。他一定希望得到这份工作，即便他真认为我们是从外国疯人院里逃出来的。你等着瞧吧。"

这次，我的直觉是对的，胡安证明管道工由利益驱动的干劲具有国际性。第二天在他的店铺，他做好了估价，尽管他的价钱比我们想的要贵出一倍（他这行是这样的），但我们很着急，我就说这个工作是他的了，不过要马上动工。

"马上，先生！我马上挑选一个新锅炉，今天就安装。当然这是一个临时措施。正式的要等新的保险丝盒和电线来了再说。不过今天您就可以有足够的热水使用，马上就有！"

正当胡安兴高采烈地签署了合同，艾莉看上了要砍价的货物：他店铺里的一台新洗衣机。

"没错，那是台完好的机器，夫人！非常棒的机器。"胡安有些激动了，轻轻用脚点了点光灿灿的洗衣机底座，"是解决问题的好方法，不是吗？"他心领神会地看着我们，用手肘顶了我肋骨一下，然后生硬地紧张一笑。

我们体贴地加入，显然让这个困惑的管道工相信，我们就是一对变态，看人家把靴子伸向洗衣机就开心。

也许是觉得还是不要惹这种怪人为妙，胡安遵守了他的承诺，到了晚间我们就有了那个光灿灿的大容量电锅炉烧出的足够的热水。经过几天用脸盆和水罐冲澡的日子，我们又享受起这种豪华了：艾莉在楼上泡澡，我在楼下淋浴。椽子跟着歌声和溅水声优美地响着。是的，我告诉自己，旧房子就是能制造快乐的气氛。

啊！热水真是太神奇了！它很容易把洗浴的人带入一种完美和善良的虚假幸福感里。然而在那一刻，我们仅仅知道生活已经向美好转变，即便是高低不平的古旧的床，都显得异常舒适，依偎在被窝里，那个晚上，我们感受到的是纯真、温暖和纤尘不染。

"对了，艾莉，"我说，一边关掉床头灯，"我今天把那只轮胎从修理厂拿回来了，上边根本没有穿孔。他们需要做的是重新给轮胎充气。"

"嗯……"

"所以，你看，即便正如你想的，地下停车场发生的事确实是天堂的正义，它看上去却像是由俗世的手执行的。"

艾莉早已入梦。

3

奉子成婚的星期天

星期天是马略卡人享受天伦之乐的日子，是一家人驾车进山、围坐在一起野炊的日子，是到足球场看比赛，到斗牛场看斗牛，到港口边海湾僻静处听着松林风声散步，或者租条船到海里垂钓的日子。更重要的，星期天是当地人去乡间的饭馆，热热闹闹地欢度午后盛大宴会，即马略卡周末午餐的日子。

星期天成为我们的一周最爱。

"看那天空，艾莉。"斜靠着卧室的窗户，我深深呼吸了一口芬芳的空气，"看那浅绿色桉树叶子上方湛蓝的天空。别忘了这是圣诞节前一周，看起来像是家乡完美的夏日早晨又回来了。实际上，我们从未在家乡见过这么好的夏日早晨。你闻一下那清新的空气……那橘子、那盛开的柠檬、那山，啊，美极了。"

"我看算了吧！你听起来就像一本假日旅游宣传册。现在还是半夜，我还在睡着呢。别打扰我。"她拖过床单蒙在头上继续睡去了。

我起床几个小时了。老玛丽亚的三个棕皮鸡蛋变成了我的早餐。我从来没有吃过这样的鸡蛋。金色的蛋黄，颜色可以匹敌红色晚霞下熟透了的橘子，味道可以说是绝无仅有——那是只有老母鸡在漫长世纪的流转中，咕咕叫地行走于太阳底下温暖的土壤之上，不慌不忙地啄食种子和谷物后才可以生下的无可比拟的蛋啊。这异域风味的美食在像玛丽亚家这样的小小农庄里，肯定比比皆是。

星期天的早上，艾莉从不愿被打扰。这本来就是休息的日子。这是她的精神依靠，她的目标就是尽量躺在温暖的床上，能不下来就不下来。

我从未反对过，但这次不一样。这不是英国的星期天早晨，典型的英国星期天早晨总是乌云密布，天空盖着厚厚的如同被子般的雨云，天空之下，苍茫一片。这儿不同。这儿是马略卡，地中海的皇后，上帝的岛屿，自然天赐的神奇礼物。太阳在万里无云的天空中光彩明媚。

我现在思考起来也像一本假日旅游宣传册了，但我并不介意。我是认真的。

"艾莉，快十一点了。如果不赶紧行动，我们就会失去周末午餐聚会的好位子了。不过由你吧，如果你喜欢的话，我们可以自己在家里吃。或者我们就像当地人那样，钻到小吃店里去体会体会周末聚餐的快乐吧。"

最后通牒奏效了。艾莉从床上睡眼惺忪地爬起身，睡衣凌乱地披着，飘进了洗手间。

"把我算成当地人！"她支支吾吾地说着。

"你好！朋友！我是拉斐尔！来看你的柑橘！"从外面走廊传来一个声音。是老拉斐尔，我们的第一个客户。他跟往常一样，从村里带来一两个袋子。拉斐尔总是在星期天早晨到农庄收购橘子。他会赶着他骄傲的羊群，通常那些羊都闲在小镇主街旁的斜坡上，待在他那简陋小屋后面的羊圈里。羊圈用短木围栏建造，还有一个快要被风吹倒的棚子。出门时，他通常会赶三到四头羊，沿道找着免费的草，边吃边前进，今天也没有例外。还没有到大门，我就已经闻到山羊的气味了。拉斐尔从铁栅栏间穿过来，两头母山羊和它们的羊羔拴在路对面的栅栏上。它们正忙着低头吃草，听到我开锁的声音，便抬起头，若有所思地向我咩咩叫着。

"早上好，女士们。"我笑着，作为对它们彬彬有礼的反应，并向羊的主人致以问候，"拉斐尔，早上好啊。"

拉斐尔七十多岁了，个头矮小敦实，一张浑圆红润的脸膛，半遮着一顶老式灯芯绒帽子。他的衣服可以获得长期服务奖章了，上面怪味扑鼻，都是羊膻气；一个害羞的孩子抓住老牧羊人肥大的裤腿，一见到陌生人，就怯生生地躲到后面去了。

"过来！"拉斐尔骄傲地说着，轻轻地拍了一下小羊倌的脑袋。

"你的孙子？是个好孩子。是家里第一个孙儿吧？"

拉斐尔看起来受到了冒犯。"说什么呢？朋友，我家十五个呢。"他愤慨道，"四个儿子，三个女儿，十五个孙子！还有两个在肚子里。"他用手肘轻推了我一下，笑起来，"我们是育子专家。"

我拍了一下他的后背。"好了，拉斐尔。去取你的橘子吧，我一会儿在房间里等你。"如果受到鼓励，拉斐尔可以站在那里唠叨一天，至少会等到他的羊把周围的草都啃光了为止。尽管他是我喜欢的那一类古老角色，他每次来我也都很开心，但我依然发现和他交流起来有相当大的障碍。他来自西班牙南部的安达卢西亚，对新到西班牙的外国人来说，他的口音浓重不清，我很难听明白。我刚刚能按照语法规则把西班牙大陆音中字母 C 和 Z 的发音掌握清楚，拉斐尔的安达卢西亚习惯就把每个词语中的字母 S 漏掉了。这种 S 音的丢失，对我的理解力而言委实是致命的。慢慢表达的寒暄是一回事，但一旦讲起某个主题感到激动了，他就会转入全速的闲聊状态，就我而言，那无异于火星文。

我从房后绕到前面，听到了弗朗西斯卡·费雷尔——我们前来度周末的朋友的尖嗓门。像往常一样，她正跟艾莉交换极具速记风格的对话，但这次我感觉到了挑衅的意味。弗朗西斯卡果不其然地出现在我们面前，带着一篮猫粮和狗粮，让我们下一周继续照顾她的宠物。她看起来实在不是很快乐。

弗朗西斯卡现在急于搞明白，为什么我们不让她那楚楚动人的罗宾和玛丽昂睡到我们的厨房里呢？这在入住的时候就有约定的呀！而今她突然发现罗宾的床移到外面她小房子的狗窝里去了。星期五晚上她从帕尔马回来，就有意来找我们了，但她确实太难受了，偏头痛把她折磨得不行，她被托马斯先生拖到了床上。"圣母保佑！""我会给您一个合理解释的。"艾莉半歉疚地说道，"如果让我说自己真实的感受，我得说我觉得相当尴尬。"

"怎么了？"

费雷尔女士眼神空洞地望着我，哪怕得到一丁点儿语言上的支持都行的样子。她从我这里什么也没有得到。我全部交给艾莉处理。

"您的宠物狗，罗宾和玛丽昂，一定不是室内训练的，对吧？这就是问题的关键。问题的关键是……真见鬼！那个词是什么来着？"关键时刻艾莉找不到西班牙语单词来表达"狗屎"了。她显得异常激动。

弗朗西斯卡一脸无辜。"什么？我不明白。"

艾莉深深叹了口气，故意走到房前，指着卫生间窗户，冲不幸的弗朗西斯卡吼起来："你看那儿！卫生间！狗应该在卫生间里解便便！"然后她又指着厨房的窗户："狗！你的朋友在我的厨房里解便便！厨房里！不好！"

费雷尔女士悲伤地摇着头，嘴角下垂，脸颊抖动。"为什么要让罗宾跟玛丽昂睡在卫生间？"她眼眶里含着泪水，"太残忍了！"

"不不不！"艾莉说道，冲我们晕头转向的邻居疯狂地挥动拳头，"不是在卫生间睡觉……在厨房里拉屎……懂了吗？"

真是不幸。语言障碍的壁垒依然无法攻破。我向来把自己的妻子当作女人味和优雅矜持的典范，因此她接下来的表现让我大吃一惊。她突然"呸"了一声，然后像狗一样地叫了两声，面部表情都变形了，掩饰不住的厌恶感在脸上挂着。她看着一只拖鞋向上翻的鞋底，捏起鼻子，张嘴就是："拉屎啦……呸呸呸！"

老拉斐尔从橘林回来的路上，听到了这神经兮兮的吵闹声。也许是因为担心打扰苏格兰异教徒这种神圣的仪式会引起不好的结果，他张口结舌地躲到一棵石榴树后面。至于他的孙子，只有一双吓傻了的眼睛和一缕黑头发从老牧羊人的夹克衫衣襟下露出来。

费雷尔夫人皱眉盯着艾莉，一副完全不理解的样子，抱住双臂以防万一。

艾莉作为正常人拥有的闲适性情现在基本上被挫折完全击败了。她拽着弗朗西斯卡的手，拖着她走进屋子。她怒气冲冲地走着，看着厨房的窗户，又来了一句更有分量、如同惊雷一样的"呸"，在哆哆嗦嗦的邻居面前大动肝火。"罗宾和玛丽昂在厨房里的每个晚上都……明白吗？"

不知为何，反正费雷尔夫人终于明白了。她抹掉眼泪，肩膀几乎要耸到耳根，手肘紧紧夹在身体两侧，手掌向前伸出来，用独一无二的西班牙手势表达"这有什么了不起的"。"正常啊。狗就是狗啊。一切正常！"

她把一包狗粮交给艾莉，带着敌意地点点头，然后掉头走向她外面小屋方向的田地去了。

"狗就是狗？这就是她说的话？她的狗在她的厨房地板上可能正常，可在我的不是！我要去冲澡了。"艾莉使劲甩上门。我从来没见她动过这么大的脾气。两位女士分开之后，拉斐尔从石榴树下探出身来，小心地走向房屋，一只手拎着两袋橘子，一只手掩护着他的孙子。

"你的太太病了吗？"他冲着房子点头询问。

"病了？没有。我太太没有生病，只有一点……嗯……别扭。"

拉斐尔没有被说服。"真的没有病？"他又一遍小心翼翼地问着，食指指着自己的太阳穴。

我决定谨慎地换一个话题。然而拉斐尔也正有此意，早我一步占了先机。他用一根长满老茧的粗短手指戳了我心窝一下。那只长满老茧的手，原来都是忙着摘橘子和赶牲口的。一阵炮火齐发，他那一口安达卢西亚口音的西班牙语喷出来，我糊里糊涂，根本没有听明白。

"请慢一点说。"我请求道。（央求人慢慢说西班牙语是我最熟悉的西班牙语短句。）

"难道你没有听懂我的意思？"

是，是。我能听懂他的意思，我撒谎道，但我还在学习这门语言，当他说得很快的时候，我听起来确实有一些吃力。难道他不能说得稍微慢一点？

拉斐尔将帽子推到脑后，深深地用鼻子吸气。紧接着他又开始了，一连串难以辨认的方言，一点也没有放慢速度，反而比刚才声调升高了一倍。现在我知道在西班牙为英国旅客做服务生有多难了。拉斐尔的胳膊一圈一圈地划着，演说越来越快、越来越响。我现在有一种明确的印象，这个老家伙正在就自己感觉非常强烈的事给我布道。

他的布道一完成，马上把帽舌拉下来，挡住眼睛，满含期待地眯着眼看我，然后是一阵饱含深意的沉默。

"什么？"我弱弱地问了一句，随即纳闷我为什么要如此提问。我如同英剧《弗尔蒂旅馆》里听不懂几句英文的西班牙侍者曼努埃尔，感觉自己真是个白痴，看起来肯定也像，站在那里，目瞪口呆。拉斐尔的孙子嬉笑着，消失在房子的

马略卡之冬：雪球橘

拐角处。

"什么？"我不受控制地重复了一遍，想不到还可以说什么。意识到在和西班牙主人对话上还有很多东西要学，我一时间麻木了。那天早上，我跟艾莉都还没有进展。

幸运的是，拉斐尔肯定意识到了在与外国人交流上他也有些东西要学，或者也许他只是对我这特殊的"外国疯子"感到遗憾。"朋友，"他低声说道，拍着我的胳膊，举起食指，放到嘴唇上，悄声道，"安静……安静。"

我理解他的意思是我应该保持安宁，放松下来，不要紧张。他曾经也大吵大嚷像个疯子一样的事实，则被轻松略过了。相当平和的拉斐尔拖着我的胳膊，带我走到屋旁露台处，在水井对面的两把摇椅上坐下来。我猜测，这不是他第一次在这里歇息他那把老骨头了。

我需要一台拖拉机，他解释道，一边敲着我的手背，清楚地把每一个音节发出来。我认真听着，谦卑地学习老拉斐尔交给我的知识，如同他的一个小孙子一般。仔细想一想，就算是他最小的孙子，也比我懂更多西班牙语。

农庄里一片狼藉。拉斐尔批评道："看那杂草。"杂草从土壤里获得水分，这就是浪费。应该马上除掉才行，难道我不明白？

我非常佩服他所说的。我估计全世界的农业生产基础都是一样的。但拉斐尔不知道的是，我一直认为在我们拥有这片农庄之前，托马斯·费雷尔已经完成了秋季耕种。我不知道这项工作为什么没有做。费雷尔女士也从未提起过。也许我只是误解了他们的安排，因此我下定决心，一有时间去买回必需的工具之后，马上就投身到清理这些"绿色地毯"的工作中。但就目前而言，更简单的方法就是在好心肠的顾问面前沉默地点头表示接受。

然后他又说到树本身，拉斐尔沉重地说："啊，是的，那些树啊……那些树。"他挠挠下巴，盯着我的果园。在我单纯的眼睛里，果园在明亮的晨光中显得非常可爱。"我的树应该没有什么太大的问题吧？"我充满希望地冒险一问。

拉斐尔摇着头。"不是大问题，朋友，而是非常大的问题。啊，是的。非常大的问题！"

由于对树木种植基本一无所知，我急于从友好的本地人那里获得经验。离开英国之前，我购买了一些这方面的书籍，尝试着努力认识其精髓，但也必须承认，我连这门看起来似乎无限复杂的科学的皮毛都没有搞清楚。

"那问题究竟出在哪里呢？"我着急地问拉斐尔。

他清了清嗓子，停顿了一会儿，又清了一下。一阵激烈的咳嗽逐渐变成成串的打嗝声，听起来就像在清理旧的下水道；然后他紧紧抓住我的胳膊作为支撑，一口黏稠的浓痰如同导弹从嘴里吐出，画了一道完美的曲线。那东西越过井口，落到地面，估计是瞄准好的，恰好落在了核桃树下。拉斐尔咂着嘴，眨着水汪汪的眼睛望着我。"漂亮吧？很少有人能射这么远的，朋友！"

"是的。说得是。不过我更关心的是，这棵树到底有什么毛病？"我紧逼着问，尽量不去理会他那令人印象深刻的吐痰才能。

拉斐尔背靠着一把吱嘎作响的老椅子，双手交叉合在脑后。"啊，如果你在弗朗西斯卡父亲的鼎盛时期看过这个农庄，"他一边回忆，一边闭紧眼睛，把帽檐拉低，"啊，是的……弗朗西斯卡的父亲……老帕科。真是位果树专家啊。这里曾是山谷中最好的农庄。每个人都想来看看这些果树，非常漂亮。"

"很好，但请告诉我关于树的问题，拉斐尔，我非常想知道。"

"其次是酒。老帕科的酒是用沿着这个露台的葡萄酿造的，就在这儿。我以前会在温暖的秋天晚上，坐下来和他喝一两瓶酒。也是在这把椅子上，就在这儿。要是你看过那时的这里……"

一会儿，打鼾的声音从帽子底下传出来，拉斐尔睡着了。

我安静地看着这个老人打鼾，他穿的比田里的稻草人好不到哪里去，看上去一生之中也没有多少钱财和物资。但他有一个大家庭，他为此感到非常自豪。他有一所小房子，养着一群羊。他有一群好朋友，在这样一个小小的农庄里，人、动物、土地、作物和树木和平共处、互相依靠着才能生存下去，获得利益。这里适合一种简单的生活，无论从哪种角度而言，都算是一种令人羡慕的生活，尤其是在上天眷顾的具有完美气候特点的地区。

毫无疑问，那些时日都过去了。带有探险性质的大众旅游、电视节目、一切人类"进步"的特征都说明了这一点。当然，尽管生活方式在改变，山谷保持了原样。山峰、松林、小果园和旧式的石头农宅都是老样子。变化的，是它们周围的世界。

我又想了一遍，在拉斐尔的记忆里，农庄曾经是怎样的，我对自己许诺一定要把它变成以往的样子。我有幸获得这个机会，努力来完成这个使命只不过是我的义务罢了。我知道这并不简单，但我确信我能做到，靠大量的工作，还有好的专家指导。

"爷爷！爷爷！我饿了！"拉斐尔的小孙子紧紧攥住爷爷的衣袖，叫喊着。

"啊哈，佩德里托。"拉斐尔把帽子往后推了推，揉了揉眼睛打着哈欠，"是的，是的，你饿了。该回家了，不过我得先付钱给这位先生。"

我本来也没想让拉斐尔付什么钱。树上结满了橘子，我还要人帮忙找个批发市场，因此给老拉斐尔几公斤橘子对我而言没有什么影响，况且他是自己采摘的。但他总是坚持要付，为避免伤害他的自尊，我让他支付一小笔钱。

"多少？"拉斐尔问道，一边拿出一个小小的钱夹。

"每袋一百比塞塔。"

拉斐尔看了我一会儿，拿起一袋橘子问："要不要称一下？"

我其实都想过要免费赠送了，为什么还非得再麻烦称量一下？不过，为了让拉斐尔高兴，我从墙上取下老式弹簧秤，用秤钩悬起袋子："十公斤，拉斐尔，不多不少。"

"很好。很好。"

他看起来高兴多了，给我拿了一百比塞塔。我怀疑拉斐尔有点想砍价。他对于称量橘子的执着完全在于他想搞明白他能砍多少的价。

他提起第二个袋子。"这个如何？"

"好。我可以称一下它，你放心。"

拉斐尔有一点不好意思。"这些是我从地上捡的……我觉得它们应该……"

"从地上捡的？果肉里面会有虫子和其他脏东西的！不干净！"

"朋友，虫子对你有好处啊。反正橘子都要榨成橘子汁，虫子也会被榨在橘子汁里的。糖分多而且……"他笑着看我的窘样，"我来告诉你吧。它们确实有益。我一生都在喝有虫子的橘子汁。看看我。我有四个儿子、三个女儿和……十五个……"

"好了好了，拉斐尔，我相信你。你可以随时拿走落在地上的所有橘子。随时都可以。"

"可以吗？"

"是的，绝对可以。不收一分钱。"

拉斐尔快乐极了。"像老帕科一样。"他转身向门走去的时候，面带微笑。

尽管我意识到他的赞扬一定程度上是出于自身利益，但我确信他的情感很单纯。他以自己的方式给了我善意的关怀，对此，我表示感谢。

"离开之前，拉斐尔，我的树到底怎么了，你还是没有给我做一个认真的解释。"

"别来问我，伙伴。我对果树并不在行。但我听村里的人说，这里的树已经让人感到耻辱了。你最好去征求一位专家的看法。再见了，非常感谢。"

"看看我这一整天！"我冲楼上的艾莉吼着，气急败坏地回到房里，"那个老臭虫让我伤了半个小时的心，说这个地方的果树面临严峻的现状，然后笑眯眯地告诉他我对此一窍不通！最后带着他那该死的山羊，还有讨价还价的我的橘子，一走了之……"

"安静！亲爱的。"艾莉说，脚步轻盈地走下楼去。她衣着一新，正准备出门。"你要懂得如何平静下来。你那位老朋友就会这么说。"

"既然他什么都不知道，为什么非要把我的树贬得一无是处，还算计我，让我着急？一副厚颜无耻的样子！从今往后我对他收全价！"

艾莉递给我一杯鲜榨的橘子汁。这些橘子是她前一天晚上采来的。"尝尝看，能让你舒心。而且不再赌咒发誓。我们这一天脏话不断，情绪还很差，已经够受的了，谢谢你哦。"

"嗯。建议是一回事——老天知道，建议说多少我都能接受——可是诋毁树……"

"不，还是要讲公平。我确信他就是个老男孩儿，心眼坏不到哪里去。我从洗手间的窗户里听到你们谈话了。大多数时候，他语速很慢，我甚至都能大概知道他在说什么。"

"是吗？"我搔着脑壳，从杯子上方瞥了她一眼。

"是的。我几乎都听明白了，也不要用什么异样的眼神看我，你已经注意到有些橘子长了黑斑，还有那些早已枯死也需要修剪的枝子。很多问题需要解决。即便是你，也知道树需要护理。你还是个生手，对不对？"

"也许是吧，但那些树看起来也没有那么坏。让我们一起来面对吧。橘子产量看起来真挺大的。"

艾莉望向窗外，沉吟着点了点头。"恐怕是啊。不过，又能好到什么地方去呢？这才是关键啊。我猜测拉斐尔不过是想给你提个醒。他只是把显然的事实讲出来而已，免得你毫不知情。"

"但友好的邻居应该是来告诉我如何找到专家的，而不是让我紧张起来，然后一走了之。"

"毫无疑问，拉斐尔会亲自给你一些关于如何护理树木的忠告。我想这里肯定有不少老家伙能干这一行。但并不是所有的都能称得上真正的专家。"

"你说的是大师？"

"是的。拉斐尔可能真不是果树疗理大师。放羊大师倒还比较贴切，但就护理果树而言，恐怕还不够。你必须找到真正的果树护理专家，这就是他刚才想说的。由此，他并没有伤害任何人，也不能因为给了你毫无价值的建议而被批判。在我看来这很合理。"

我感到不那么抑郁了。

"艾莉，你又办到了。你恢复了我对人性的信心。一堂关于常识的实践课。"我摸了她屁股一下，喝光了橘子汁，"哇！这是我喝过的最好喝的橘子汁！这是从哪棵树上摘下来的？"

艾莉的脸上露出孩子般恶作剧的笑容。她径直向门外漫步而去。

"树上？"她回头看我的时候，冷不丁扔下一句话，"我没有从树上摘。我是在地上捡的果子啊。"

如同很多靠近岛屿边缘的内地城镇一样，安德拉奇在距离海岸线几英里处也有一个姊妹城市，或者说港口。这是马略卡历史上海盗鼎盛时期的一个特色，那时掳掠黑奴的船只从北非的柏柏里海岸穿过地中海到达西班牙的这一块。为了警告岛上的居民海盗入侵，当地人会在石塔上点燃火把，这些石塔到现在还是当地海岸线悬崖峭壁上的风景。当地的渔民和农夫会退回到防御更有利的内陆村寨。村民的房屋都围绕在坚固的教堂周围，千篇一律地建造在较高的山坡上。

我们第一次进入"市长府邸"时，从安德拉奇镇到安德拉奇港口的道路崎岖而狭长，沿途伴随着曲折的河。虽然名为河，它其实只比一条干掉的小水渠稍稍大一些，除非罕见的大雨浇灌了整个马略卡，水流才偶尔湍急些。离开茂密如烟的橘林和花墙环绕的老房子，安德拉奇镇慢慢从我们的视野里消失了。山谷曲折迂回，进入一片开阔平整、绿树环绕的林中小地。两边山隘上的松林高大伸展，形成一个臂弯，紧紧包裹着这片绿地。低矮山坡上隐约闪现着座座石头房子，由风化干枯的草秸围绕着，坐落在小片的菜蔬和谷物农田中间。古老的石墙将杏林植被团团包围，在光影交错里体现着这儿的闲适和优美。

虽然邂逅一队以掠夺为生的海盗的风险基本上不复存在，但是崎岖小巷的每一处拐角，都可能埋伏着对现代人的致命危险。大型卡车运载着圆形水罐提供定期送水服务，从附近的水井运到没有水源和私人水井的居民区。速度是那些灰色卡车的代名词，它们在紧急拐弯处通常会以最佳速度努力挤过笨重的身体。

按照平均水平，或早或晚，经过这儿的灌水车、轿车、卡车、拖拉机、驴车甚至是山羊队，或者那些在冬天到此一游的年长的德国远足旅人，按照风险概率的组合方式计算，在几处风险极高的弯道，都能酿成不可挽回的死亡事故。然而，奇迹的概率更高，竟然也没有出什么大事，人们当然希望这样的奇迹效应继续存在。

但显然有证据说明还是有例外的。十二月的一个星期六，当我们驱车行驶到一处险要的拐角，就在我们前面，大约十码的距离，离地八英尺[1]的地方，凌空悬着一辆小型的西雅特600轿车，靠后轮挂在一棵杏树的树枝上。它是如何反着车身完整地悬挂到树上，至今还是个谜。没有飙车的痕迹，路上也没有轮胎擦痕，我们只能揣测前一天晚上，某位英勇的驾驶员驱车高速横冲直撞，最后被一辆巨大的两千加仑[2]容量

1　1英尺约合 0.304 8 米。
2　1加仑约合 4.546 升。

马略卡之冬·雪球橘

的运水车追了尾。肯定是二者在同一赛道上拐弯，然后大车一个谨慎的回避转向，将小车推向斜坡的墙上，让它沿着近乎完美的轨道，完美无缺地被安置在杏树上（尽管头朝下）。

对我们而言，这基本上是最有可能的解释了，但也有其他玄之又玄的理论盛行在当天安德拉奇港玛格丽特忙忙碌碌的早报读者中，据他们解释，杏树上的车是一种神秘现象。

一个戴眼镜的小伙子揣摩一定是飞碟上的外星人干的。尖嗓门的老年女子立刻打消了他的念头，那完全是一派胡言。她信誓旦旦地说，这家伙肯定是从旅游飞机上掉下来的。她又提醒她那些穿黑衣、频频点头的女伴，说自从喷气式客机开始穿梭于马略卡岛的上空之后，这个旅游胜地的嘈杂就再也没有停止过。我的天！云彩被那些坏家伙穿开洞后，连天气都变恶劣了。这群老妇人同仇敌忾，议题似乎无须进一步辩论了。

我感觉有人在用手肘捅我的肋骨。

"胡说八道！"一口古怪的西班牙–伯明翰口音夹杂着巴基斯坦南部卡拉奇的音调，传到我耳边。那人站在队伍里，就在我旁边，身着工作装，是个身材消瘦的马略卡人。"先生，我跟你说实话，那辆怪里怪气的车是一群嬉皮士弄的。他们生活在萨拉科山谷里。那群混蛋。实在太搞笑了！是的，确实是他们！"

"真的？太有趣了……"

"我说的是实话。"他显得柔和了一些，向前走了一步，准备开始独家曝光，"他们昨天晚上又下来了，从一条船上接走了鲍勃·霍普。"

"鲍勃·霍普？在这里？"

他揶揄地点点头。"我知道这里的一切。"

"一群嬉皮士在安德拉奇港口的船上接走了一个电影明星？为什么？"

他闭上眼睛，恼怒地摇了摇头。"不是该死的混球鲍勃·霍普！我跟你谈论的是该死的毒品、大麻！一群该死的！你住在哪个星球？"

"明白了。鲍勃·霍普就是毒品[1]。这些嬉皮士从船上接走了大麻。是吗？"

"正是！我说的就是这个。你能不嫌烦吗？他们吸食这个玩意儿，而且多数是混合吸食。我还说了，他们整天躲在鱼市后面喝浓烈的白兰地！我从阿卡尔酒吧观察过他们，他们对鲍勃·霍普以及圣雄甘地[2]的喜爱非常执着，开车离开时，车飞起来，正好卡在那棵树上。你不觉得很滑稽吗？"

这个信息灵通的人干笑了几声，上台阶来到柜台，不情

---

1 Bob Hope（鲍勃·霍普）和 dope（毒品）是押韵的俗语，英文里可用"鲍勃·霍普"来代替"毒品"。
2 即搀了柠檬汁或干姜水的啤酒（shandy）。shandy 是和 Mahatma Gandhi（圣雄甘地）押韵的俗语。

愿地付钱买报纸。

"你是英国人？"临走的时候，他问我。

"哦，我是苏格兰人。"我回复，感觉突然暴露在了好奇的当地人里面，所有眼睛仿佛都对准了我。

"都一样！"门口的家伙继续彰显他的自信，"英格兰，苏格兰，爱尔兰，威尔士……对霍尔迪我而言，这些都一样！我原来一直生活在那儿！"他又一阵大笑，消失在店外那排报亭之间。

艾莉在狭窄的特尔酒吧外面的一张桌子边等我。特尔酒吧位于广场一角沿街处，视野宽阔，景色优美的港口在这稍稍高些的小广场上一览无余。星期天的早晨，坐在这里读读《每日新闻》是很惬意的事。在冬天温暖的阳光里慵懒地喝上一小杯，你永远不会疲倦于透过排排棕榈树欣赏海岸的美妙风景。

港湾里，一小队即将出海的渔船静悄悄等在那里。就在我们视野下方，船头排成向外突出的弧形，一副虎视眈眈的样子；流线型的船身涂成湛蓝、橘红和墨绿，泛着银灰色的亮彩；光影摇动，熠熠生辉。海水荡漾，甲板上的桅杆上下跃动，轻盈如羽翼，从橙色的浮动码头伸出来。气球华彩的装饰在桅杆顶端颤巍巍地摆着头，静悄悄庆祝渔民的神圣节日。要出海了。紧挨着它们的是一种帆船，那是马略卡近岸使用的小渔船；清一色漂亮的老式地中海风格，船身为纯正的白色，与它们轻松活泼的姐妹渔船形成对比，却一样令人景仰，舱壁上刻着主人妻子或情人的名字，什么卡门啦，卡塔莉娜啦，玛丽亚啦，等等；其他船上刻着的则是这海上曾经风光一时的导航星的大名。远方，无数游艇那高高的主桅杆随着水波荡漾，上下起舞，舞姿轻柔，令人心旷神怡。跨过远处波光粼粼的海面，港口正对着的那方，围起来的山峰绿意盎然，从水岸顺势而起，白墙绿瓦的别墅群点缀其间，如同成串的阿尔卑斯化石，在卡拉布里亚不老的苍穹之下晶莹闪动。

这是安德拉奇港口最美的时刻。山海静穆，睡意沉沉，仿佛是遥远的记忆。一个苍远安宁、不为外世所知的小渔村坐落在这最受欢迎的避风港里，温暖祥和。然而现在的闲适慵懒，到了港口随后炎夏酷暑的干热季节便会大不相同。那时，橡胶摩托艇满载娴熟的本地水手从那些冬季被弃用的高级游艇间驶回，你会看到身着球衫的年轻人，带着爽朗开怀的笑声成群结队地上岸，嘈杂声来到码头小酒吧和咖啡馆的桌旁。入夜了，在香槟四溢和伴着美食的辉煌灯火中，盎格鲁-撒克逊的子弟开始以音乐戏剧的形式讲述白天的伟大冒险。被岁月染白了鬓发的本地老渔夫在他们最常光顾的酒吧喝多了夏日啤酒之后，很多人会整夜咕哝着抱怨上不了他们八月夜晚最喜欢的那张多米诺牌桌。他们的先祖真是很幸运，也只有柏柏里海盗才能应付他们！真的够了！

严冬的侵袭并未带来很多麻烦，只有几辆满载帕尔马救济金领取者的大巴停在港口，在准备午餐的时刻来点儿交通堵塞。老年妇人身披针脚细腻的丝纺披肩，绾着毫无瑕疵的发髻，彼此挽扶着走上街心，看起来刚强沉稳。而她们的丈夫就在不远处，满怀敬意地跟随并看顾她们。老先生们穿着星期天最适宜的蓝色上衣，脚踩干干净净的棕色皮鞋。更有甚者，担心显得太老气，就穿了哔叽布的运动裤，蹬一双运动鞋，跨越了代沟。改变的迹象在马略卡随处可见。

等艾莉嘲弄完她的安息日糕点，一种薄薄的酥皮饼后，我们沿着码头边一排棕榈树前行，时不时停下来看船夫们不急不慢地扬帆，安排第二天的航程。他们或唱着船歌，或大声讲着笑话，幽默的故事从一条船传到另一条船。在开心的微笑里，船夫们述说着马略卡几个世纪以来不变的沧桑。

无须预先通报，每年这个季节的马略卡都有风浪从海上吹来。轻柔的微风吹过蓝色海面，有风的地方桅杆高耸，浪花朵朵；海堤如同垒起的高墙，阻挡着海浪；街上闲逛的帕尔马女子背对着呼啸而来的强烈海风站立。她们包着头的丝巾被风层层卷起。几周前，我们还兴致盎然地站在那儿欣赏停泊在岸边的船只被巨浪晃来晃去，如同跳舞一般。而现在，我们把毛衣往上拉了拉，躲到了车子里面，如同有经验的当地人一般。是的，我们今天该到内陆寻个地方吃午饭了。

帕尔马以西，耸立着纳布尔格萨山，那儿草木丰茂。山里有一家传统的城堡式庄园，名为"索思伯格"。雕饰着各大星相的水磨石墙厚实地围绕着庄园，玫瑰与茉莉顺势而上，组成了一张防护网。粉红色的铁线莲及紫灰色的九重葛攀延在石墙上，遍布苔藓斑驳、紫罗兰茎叶盘绕的古瓦屋顶。现在，索思伯格饭庄占据了优越的商业位置，成为庄园的主建筑。常春藤宛如斗篷，遮罩着墙；天竺葵遍覆的石阶通向主厅的大堂。

"阁下，您来得及时。"服务生边比画，边邀请我们来到一处安静的角落。这是一个建筑式样类似于谷仓的餐厅。"今天恰好有个婚宴。我们会比往常更忙一些。"

一篮棕褐色的脆皮面包和一碟庄园腌制的青橄榄（带着茎和叶子）被端到了我们面前，另有一份生胡萝卜，一份浓郁的奶酪酱，以及赠送的麝香葡萄酒。斟一杯葡萄酒轻啜，我们就这样被景色包围起来，开始潜心钻研菜单上的食品。

索思伯格饭庄的饭食别具一格，内部装潢具有马略卡乡间风味饭店的所有特征：粗壮的砂岩石柱撑起弓形天花板吊顶；未经雕饰的橡木在穹隆上自然伸展；茶色的石墙布满了绿莹莹的暖色调烟锈，那都是壁炉里未完全燃烧的原木闷出来的烟，在经年累月的飘散中附着而上。日光的箭柄斜穿过短小的、深嵌的窗户；墙面烟锈的背景上映射出柔和而清晰的光线的细脚，静静透过一套组合家具，将扇形的阴影投到古老的地砖上。这景色舒适而温馨，如同一张老旧圣诞卡片上画着的小酒馆。可以理解的是，索思伯格的名声来自它那顶级的马略卡美食。这些可口的美味，是那些积极向社会上层靠拢的帕尔马家庭前来度周末的原因。

身着休闲却昂贵服装的商人和专业人士，带着他们衣着匹配的妻儿，在这里感受到"回家"的滋味。他们与根本传统保持一致，因为曾一度生长在农村的祖父母也会高兴地跟来完成西班牙大家庭的周末活动的。他们来到这里专门享受马略卡的传统美食。精心准备的美味就在盘子里。细心的服务生身穿笔挺的流线型白色长围裙高兴地提供着服务。对他们而言，索思伯格是世界一流的餐馆；是那些地位日益尊贵的绅士观察社会、同时也被其他社会阶层观察评判的地方；是年轻人如同世界上其他所有年轻人一般继承传统、老年朋友在推杯换盏中常驻记忆长巷的地方。艾莉和我喜欢现场的气氛，也可满足口腹之欲。

"先生，请进！"服务生一边瞧着他手里的菜单，一边邀请我们进去。

我询问是否有天然香米粥，我们都想第一道就吃这份家庭特制。然后，我等着艾莉用西班牙式英语点她的主菜。她现在说起来都尤为小心，因为最近在安德拉奇买东西时闹了点小意外。

她坚守女权主义，迂腐地称鸡肉为阴性的 pollA，而不是颇为矛盾但被接受下来的阳性的 pollO。这并未得到什么青睐，倒是常让经常光临本地肉铺、站在她身后的村妇窃窃私语、指手画脚。只有偶尔那么几回，当她对卖肉的屠户这么说时，一个抱着孩子的年轻母亲在她耳边悄悄地说，这样的说法在这里不合适。要如何解释呢？pollO 就是桌上的鸡肉，这个词与性别歧视无关，然而 pollA 是……她扯掉了孩子的尿布，弹了弹小男孩的鸡鸡再用食指左右摇动，自豪地笑着声明："这才是 pollA，阳具！"

个子矮小、神色腼腆的屠户临时决定到后面的铺子里看一看，有意给艾莉一个台阶下，更是给自己一个台阶下，免得彼此难堪。老屠户了，卖了那么多年肉，他当然知道那些家庭主妇需要欣赏一些刺激的东西。那个被抱着的男孩儿本来就有点早熟，性感得令人羡慕！

"哇！小东西还真大！"一个老不持重的妇人母鸡下蛋一般咯咯叫着，蹒跚着走上前，参与了这堂别开生面的词语课，并适时发表了自己的观点。

"耶稣基督！圣母马利亚啊！"她从来没有看到过男孩子有这样的鸡鸡，幸运的是，几年间她先生的火力引擎给了她足够的刺激。

正在这时，小男孩儿把脚踢了起来，咯咯笑着，射出一股象征荣耀的流线型喷泉，喷到天花板上。可怜他的母亲还没来得及换尿片！

"哇——!"慢慢前行的队伍里发出了女士们关注的惊叹!"威震天!小消防员万岁!"

从那天开始,艾莉总是爱强调发音,将 pollo 的结尾字母 o 发得清清楚楚,尤其是在饭店点鸡肉的时候。谁又能指责她呢?如果重复她在肉店所犯的严重错误,而服务生又按字面意思接受她的点单,那可就太棘手了。那会是怎样的一场烹饪失误[1]!

她没有在索思伯格冒这些语言小游戏的险,而是审慎地避开鸡肉,自信地点了 Gazapo[2]。"多一点番茄酱,洋葱搁一边,不要放太多酥皮面包!对了,这样正好。"

服务生慢慢耸着肩,拿笔狂写。

"你真的确定你点的是什么吗?"我从嘴角溜出一句话,不想打消艾莉表现她掌握了更多马略卡点菜知识的积极性。

"当然。这是冬天,但不是我不去点夏天的菜和沙拉的理由。"

"相当可以,只要你知道你在做什么。我想我会坚持入乡随俗的原则,点马略卡炸肉饼。"

"您要什么,先生?"服务生问,用手指着酒单。

"作为星期天的自我款待,我想我应该来点马略卡佳品,

1　cockup,双关,也有"阳具勃起"之意。
2　"小兔子"的意思。

一瓶何塞·费勒的特级珍藏，还有一瓶矿泉水，不带汽的。谢谢。"

一长列桌子满满占据着饭馆一边，供举办婚宴所用，重要位置上，距离任何座位不超过一肘的距离，成打的瓶瓶罐罐已然上席。有三种色泽的红酒，成升的矿泉水，还有关键的苏打柠檬水，常用来稀释（或更确切地说，缓和）摆在西班牙酒廊架上"更烈"的红酒。墙上挂着一幅放大的马略卡传统妇女壁画，画中人物一本正经，端着古希腊两耳细颈水罐，站在柏树成荫的美丽花园中，纯真地看着这将要在餐馆里举行的大型婚宴。

客人们鱼贯而入，他们看上去蛮不开心的。如果不是服务生告诉我们这是场婚宴，我们反倒会以为这群人是来吊丧的。满堂无言。他们只是坐到了自己的位子上，神色肃穆，气氛安静。一位妇女，估计是新娘的母亲，哭得不行。她的脸如同涨开了的西红柿，一种异样的感觉告诉我们，她肯定不是因为开心才掉眼泪。

虽然没有见到主人公的踪影，窗边透进来的镁光灯闪烁，说明那对幸福的新人正在餐馆后的院子里拍婚纱照。

"我真想马上见到新娘！"艾莉嚷道，显得热情高涨，"我敢肯定，她的婚纱一定很漂亮，装饰着白色的柔滑缎子和西班牙老式的蕾丝花边。"

"真可惜。你不能将你的切身感受传递给新人的家庭和他们的朋友。我认为马略卡的婚礼应该是锣鼓喧天的场面，现在却发现等待牙科大夫的人都比他们开心。"

"看！他们走进来了！哦！太浪漫了！看……多么漂亮……天哪！我的上帝！"

只看到新郎官垂头丧气蔫得像只乌鸡，新娘子怯生生躲在她的先生后面，一样无精打采。她身穿精致的蓝色孕妇装，毫无生气，无法掩饰那鼓胀起来的圆圆的肚子。新娘子的母亲又是一阵哇哇大哭。

"真希望她拍婚纱照的时候能站在树后只露个脸。"我嘬嚅着，"至少七个月大了。"

"别这样残忍好不好？怀孕又不是犯罪。她的男朋友，唉，丈夫，才应该被谴责。我是说，女人不太可能一个人搞成这个样子嘛。"

"是啊，总是有圣母怀胎的可能性的。"我看了一眼门上方的耶稣基督十字架，"也许这个可怜的家伙是被人存心陷害的。"

艾莉的沉默表示了一切。

在婚礼接待处，新娘子母亲的啜泣打破了僵局。她的丈夫看起来早已对她这种吸着鼻子抽泣的行为深恶痛绝，只能在酒精中寻求放松和安慰。他清了清喉咙，缓缓站起来，举着斟满酒的杯子，另一只手握着酒瓶，向这对稍显郁闷的新婚夫妻表示了简单的祝贺。"祝二位新人幸福美满！白头偕老！"

客人们也端起了酒杯，新娘子的父亲举起酒瓶，瞄了一眼他宝贝女儿那神圣不可侵犯的鼓鼓的圆肚皮，大大咧咧地说："哦，当然还要祝福小家伙！"然后瘫倒在了沙发上。他的妻子哭得更起劲了。

到这个时候，餐馆就开始拥挤了。因见到新娘大了肚子，人群先是一阵震惊的寂静，然后大家接受了现实，开始向这身怀六甲的新娘子致以祝福。欢快的场面降临到餐馆里面，双方的亲朋好友各自安坐着，见证着这场喧闹的婚礼仪式按照马略卡周末午餐聚会的方式进行。客人们嘴里塞满橄榄与面包，到处都是敬酒的；对坐或串桌的交谈此起彼伏，不亦乐乎。

一场欢宴——除了婚礼本身以外。新婚夫妻依旧一脸乌云，他们的郁闷持续了整场欢庆活动。

我注意到新郎的母亲。瘦削单薄的小老太婆，头发灰白，脑后盘着一个髻，一看就是个伶牙俐齿的人。她面无表情地端坐在那里，双手紧紧扣在衣襟上，一双细缝的小眼黑溜溜射着厌恶的光，还凶巴巴盯着她的亲家母。新娘子的母亲如今早已抛弃哭丧懊恼的心，满心喜悦地沉浸在酒精里了。她的丈夫还是不停地劝说她注意影响，自己却也喝到了第二瓶。

一会儿，气氛愈加浓烈。到处可见的多功能陶制焙盘盛着马略卡的特色招牌菜，从后面厨房里不断送来。盘子在服务生手里高高托起，如同耍魔术一般，他轻轻绕开那些在桌椅板凳腿间钻来钻去玩闹的小孩子。先上来的是一道香气四溢的筒装天然香米粥，热气腾腾的，显然是道司空见惯的小菜。这道菜又称为"米杂汤"，其实是煮的肉羹米汤，是马略卡农民用橘黄色藏红花，加奶油、肉羹、蔬菜和一种奇妙的配料——背着精致外壳、小巧酥软的马略卡蜗牛——做成的。

在"把最好的留到最后"这个原则下，我们将小蜗牛放在最后，先把其他部分灌到肚子里。这项填食任务本就挺考验人，这时艾莉突然厌恶起了蜗牛，声称当她用勺子威胁时，其中一只蜗牛已经在壳内退缩了。在服务生的监督下，我不得不表现出她过度丰富的想象力（我热切希望是这样）给我带来了乐趣。

在周围专家的指导下，我把汁鲜肉美的蜗牛老大用牙签挑出来，蘸着生鸡蛋黄、橄榄油和大蒜，塞到嘴里。

"你应该多喝一点酒。"服务生边说边帮我花式斟满一杯何塞·费勒的特级珍藏。"你应该边吃蜗牛，边多喝点。先生，这是马略卡的习俗。酱汁能给它们的灵魂以洗礼，酒精可以送它们去享受天堂的幸福。"

我不管酱汁能否净化蜗牛的心灵，只有蜗牛自己知道，但这确实辣得我两眼含泪。我非常理解要多喝些酒来平衡这些下了肚的蜗牛，酱汁只是用来避免你的舌头起泡。

"哦，蜗牛！"我吃得气喘吁吁，又吞进一条混合了大蒜刺鼻气味的软体动物，"旅行愉快！孩子。"

"好棒啊！"服务生高声唤着，竖起了大拇指。看来这种方式吃蜗牛很得体。他鼓励着："再来一只！"

在他熟练的引诱下，加上酒精欺骗性的沉醉，我贪婪地用勺子翻着香米粥，直到把最后一只蜗牛翻出来，剥掉皮壳，送到肚子里。

"啊！美啊！"我打着饱嗝，几乎喘不上气来，对着服务生早已习以为常的表达崇拜的方式，说了一句："太美了！"

"你真恶心，"艾莉道，"你竟然把这些可怜的小东西全部吞下去了？我真搞不明白。"

但是，当服务生为我们端上第二道菜时，她刚才一副嫌弃的样子和现在震惊的样子简直不可比。

"这不是 Gazpacho[1]！"她几乎要背过气去，皱着眉头望着一脸困惑的服务生和她的餐盘。盘子上横着一块带皮的肉，看起来像一只表演花式跳伞的剥了皮的小猫，鲜嫩的肉闪耀着陶瓷般赤褐色的光泽，恰巧搭配上盘子的颜色。搁在架子上烤久了，那半烧焦的肉上横着钢条的印迹，看起来如同虎纹。"我没有点这个！我点的是西班牙凉汤，西红柿凉汤……就是西红柿加洋葱，汤上面还有一些作料！"

---

1 "西班牙凉汤"的意思。

服务生扬起眉毛，嘴角露出半个微笑，谜底揭晓了。"女士，"他把菜单放在艾莉面前，耐心指着菜单的名称，"我们没有 Gazpacho，对不对？但是，没错！我们有 Gazapo。"

艾莉摸着卜巴，默默地念着这几个字："Gazpacho，Gazapo，Gazpacho，Gazapo……"表情又惊慌又困惑。"那有什么不同？"

服务生指着菜单上的那道菜，然后指指她的盘子："这是 Gazapo，不是 Gazpacho，明白吗？"艾莉表情茫然。"不明白。"

服务生深深地吸了一口气，然后搓搓双手，像钢琴家演奏前的预备动作。"好的，这位太太，我用英文为你解释一下，好吗？这是 Gazapo，就是你点的，我已经解释过了，菜单上没有 Gazpacho。"他看我一眼，手掌朝上："对不对，先生？"

"没错。"我确信。

"很好，所以现在我跟你解释清楚了，太太，你点的是 Gazapo，对不对？但 Gazapo 不是西红柿凉汤，西红柿凉汤是 Gazpacho，我们这里不卖，我们提供的是你点的 Gazapo，红烧幼兔！"

艾莉闭起双唇，顺服地点点头："我知道了。"

我实在不知道，她刚才阻止我吃蜗牛，现在要怎么咽得下这只可怜的小东西。

至于我的马略卡炸肉饼，我只能说，数百年来，这道菜靠着马略卡的猪肉享誉世界。两道菜里都有蔬菜，艾莉的是一堆西红柿和洋葱。

对我而言，这是马略卡乡村菜中最自然完整的烹饪，艾莉机灵地一言不发，但她显然愿意享受她因语言失误而点的这只可怜的小兔子的肉。为何不呢？说真的。在索思伯格那些狼吞虎咽大吃 Gazapo 的孩子眼中，我们显然是从彼得兔的国土远道而来的。

就在这时，一阵笑声从隔壁桌的孩子那儿传来，他们那个头瘦小、满头银发的祖母，正试图安抚一个坐在高脚椅上不听话的婴儿，希望他能吃盛在塑料汤匙里的食物。老奶奶竭尽所能，表演正式开始了。火车嘿咻嘿咻要进山洞了，飞机呼哧呼哧要入飞机棚了，她还不停地以那挺失面子的声音叫道："噢，咪咪——咪咪！"她真的是白费力气。那小家伙丝毫不为所动，眉头紧锁，嘴巴就是不张开。

几个年龄较大的孩子大笑起来，老太太的耐心竟得到这种回报：小孙子把那只母亲交给他玩耍的汤匙，重重地敲在祖母的额头上。显然，他多花了一点时间，才掌握了使用汤匙的方法，但是婴儿已传达了他的简单想法，当他以自己的方式来做他认为必要的事情时，他可是学得很快。这天赋显然不是祖母遗传的。他的母亲看来很自豪，祖母却快昏倒了，家里其他人吃饭的过程显然被中断了一会儿；还好，他们马上就回到马略卡人的状态，大快朵颐，贪婪地啃食着留在蜗牛壳内的每一寸剩肉。

"多么快乐的西班牙家族周日大聚会啊！"我讽刺地对艾莉说，"这老人家如果拿剩下的养老金去安德拉奇旅行，也许更安全一些。"

"胡说！几代同堂聚餐同乐是福气。这是很好的传统，我很羡慕他们。"

"看一看就好了，你尽可以认真地体会一下。"

大厅的另一边，即将成为一个家族的人，正在上演一些传统习俗。愁眉不展的新郎被推到前面。我们猜想，接下来会有段感人的演讲，但好在并不是这样。我们所知的当地习俗是，在婚礼上，当宾客享受美酒佳肴时，新郎要在台上亲吻新娘，这意味着疯狂喧闹的仪式即将开始。先是两位健壮的伴娘搭着手肘把臃肿的新娘抬起来；然后，她那不太情愿的伴侣，半推半就地，把不带感情的蜻蜓点水般的夫妻之吻，印到她紧闭的双唇上。

新郎的母亲看起来快要吐了，而新娘的母亲看起来好像已经吐过了。从她那该死的女儿进场后，她本不耐酒精的身体越滑越低，松软地瘫在椅子上，桌子前面只看得到她颤巍巍的脑袋。崭新的庆婚帽，别着精致的粉红色花朵，巧妙地遮住她的右耳，清香芬芳的花瓣俏俏地粘在她乌青的脸庞上。她丈夫完全没理她。

沉默再度在人群中蔓延。

"艾莉，这场烂醉如泥的酒席上，你总以为至少会有一件好事发生，可就是什么都没有。"

"有人说这都是马略卡温和的本质。"

"不，这不正常，太胡闹了。为什么要为这种可耻的事情花钱大宴宾客？最好让这两个卑鄙的家伙各自回家哭泣。"

"你这样讲太残忍了吧！你难道连一丝浪漫的气氛都没感受到？"艾莉辩驳，而且很不温柔地喝了一大杯水。

"嘿，你看！"我大声道，眼神朝宴席那边甩去，点了点头，"有人把那没良心的新郎的领带剪下来了！"

"噢，不会吧，这一点意思也没有，难道他还没受够吗？"艾莉显然激动了。

"太太，别担心，这是马略卡的习俗，"服务生说，他端盘子朝厨房走去时停了下来，"他们剪下领带，然后把碎片送给客人。每个客人拿到碎片都要付点钱，这些钱就可以拿来度蜜月，这是正常情形下的习俗，但就目前这个状况看来……我认为客人一毛钱都不会给。"

"为什么不呢？看在上帝的分上吧。"艾莉说。

"太太，因为大家都看到这对新人已经度过蜜月了！"他开心地笑着穿过厨房的门，没多久，又端出一盘子菜，"太太，别太难过，可能会有更糟的呢，照马略卡的习俗，还要脱下新娘的长吊带袜胡闹一下，但这种情况……"他咯咯地笑着说，"在这种情况下呢，先生，新娘子是没有办法自己弯下腰去脱袜子的，不过，也没有人能去帮她，因为……"他察觉到艾莉可能会被他激怒，就弯下腰，靠着我的耳朵轻声道，"好家伙，因为恐怕还要好一阵子，才会有人兴致勃勃地伸手探一探她的裙下风光，看看是有吊带袜呢还是没有，对不对？"他促狭地朝着我眨了眨眼，又继续忙他的活去了。

我试着不让艾莉看到我在傻笑。

"好吧，你尽量笑。"她生气了，"请便……不必告诉我那个服务生讲了什么，我没兴趣！"她暂时把头转开，面向服务生。

"太太，希望你不要因为我开了个新娘子的小玩笑而生气。"

艾莉努力挤出一个礼貌的微笑："噢，不，不会的，没什么，其实我什么都没听见。"

"太太，告诉你，新郎是我弟弟。"

"噢，上帝啊，真的很抱歉……我是说，恭喜你……我是说……"艾莉慌作一团。

服务生表示同情地微笑："都怪我母亲，把气氛搞得这么差劲！"他望着一脸严峻神色的母亲，坦白地说："自我父亲过世以后，她含辛茹苦地把我们五个孩子带大，而我弟弟现在……"他耸耸肩，"不过，没问题的，她总会接受新娘子和她的家庭的，而且等到孩子生下来……她会像所有溺爱孙子的老祖母一样，没问题的！我去准备咖啡了。"

我朝隔壁桌那位瘦削的老太太望去。她是位溺爱孙子的老祖母，额头上留下了汤匙形状的浅蓝色印痕。

"艾莉，"我伸出手去，朝挨了一记汤匙的老祖母以及这场因女方婚前怀孕而盛办的婚宴做了个手势说，"现在你对伟大的西班牙传统大家族有什么看法？"

"我能说的就是，看见他们聚在外面用餐真是太好了。我相信那个老祖母宁愿头上肿个包待在这里，也比自个儿坐在家里看电视要好。在我们国家，许多家庭都把老人留在家里，我们应该跟西班牙人好好学学。"

"对了，等你母亲到这里来的时候，我们就带她来这儿，好让她老人家见识见识。"

艾莉眯起眼睛，用手指着水杯，"你这是什么意思？"

"什么意思都没有，我只是想，这是个跟西班牙人好好学习的机会，我可以拿着汤匙在她头上敲六下，再告诉她，这是马略卡的习俗。"

"好了，我受够了！首先，你没有事先告诉我，眼睁睁地让我点那个当主菜——"

"但是，我真的不知道 Gazapo 是小兔子，真的！"

"你一定知道！我打赌，你逮到机会就想让我吃亏。你还嘲笑那对可怜的新人，奚落那位头上被汤匙打了个包的老祖母。现在，你又扬言要加害我妈，你真是自讨苦吃！"

我开始大笑，我不想这样，但就是忍不住。"别这样，艾莉，不要……不要泼水，"我一边求她，一边举起双手，"水会掉进酒里，还有——"

"谁管你的酒，是你先那样，我才这样的，我有办法让你在大庭广众之下笑不出来，别以为我不敢！"

她的眼睛闪着狡猾的光芒，冲过来一把抓住我的耳朵，把我拉向她，逼得我站起来，然后整个身体横过桌子，在我争辩的嘴上印下一吻。

好漫长的一刻，我发现周遭弥漫着一片寂静。我睁开一只眼睛，斜眼瞄向其他人，该死！所有人都在看我们，我企图挣脱开自己的身体，但是艾莉的手像老虎钳似的夹着我的耳朵。周围刚开始很安静，接下来，声音却越来越大，整个餐厅回荡着节奏缓慢稳定的西班牙式掌声。随即，脚踏声的节奏与敲打桌子的节奏混合着越来越响，一直到周围升起了一阵能震破耳膜的欢呼，艾莉才终于结束了这个"马拉松式的长吻"。

我跌回座位，脑袋一阵晕眩。持续的掌声中，艾莉看来有点腼腆，一脸自满又无辜的笑容。我窘得发狂，站起身，紧张笨拙地抚弄着领带，尴尬地感受着从别桌传来的喝彩与笑声："爱情万岁！爱情万岁！万——岁——！"

"好耶！先生，再来一次！"服务生喊着，拍拍我的背，嘴咧到耳朵大笑，"据说英国佬不像我们拉丁人那么容易激动，你这样我还能说什么呢？你在我弟弟心目中的形象一定与众不同！你看，就连我妈妈都被你逗得很开心！"

我冒失地瞟了他母亲一眼，只见她眼中射出爱情的光，斜着头，像雀鹰一般卖弄风情，并且端起那杯柠檬水向我敬酒。天哪！那个老女人一定是守寡守得过久、太久了！

"呵！是蜗牛给了你丈夫力量吧？"服务生朝着艾莉眨了眨眼，然后一拳向上，做出暗示性十足的姿势，"蜗牛和大蒜功效神奇，能让男人性感十足，让他变得很有魅力，是吧？"

"也许对别的蜗牛来说，是这样子的。"艾莉喃喃说着，用手扇扇鼻子。

服务生笑着把我们的咖啡放在桌台上，外加两只精致的玻璃杯，两瓶绿莹莹的酒，里面像摆设了枞树的绿色盆景。

"请你们尝尝马略卡最有名的饮料，茴香酒。它的清香气味来自瓶底生长的野生植物——春黄菊、迷迭香、茴香。一瓶是甜的，另一瓶不甜；我认为，最好就一半兑一半地喝，这是我们马略卡的喝法。"他又朝艾莉挤了挤眼，低声地对她说，"太太，这种酒功效神奇；有人说，它是长生不老的仙丹、驱蚊剂，当然啰，最重要的就是……这是一种春药，一种难以抗拒的性药。"

"我真为新娘子感到遗憾，你弟弟七个月前没有签下'不吃蜗牛、不喝茴香酒'的协议书。"她声音低沉地说道。

"您二位有孩子吗？"服务生问，一边拿起两只绿瓶子，小心地往我们的杯子里倒出等量的酒。

"两个儿子。"艾莉回答。

"只有两个儿子！哦，太太，你有个这么温柔体贴的老公。嘿，应该要像我们马略卡人一样有个大家庭才好。等你老了，多子多孙才会多福气，是吧？我真是高兴极了，这位先生终于知道蜗牛要搭配酱汁和草药吃了。这下您可真是无法抗拒了！"

"别忘了兔子。"艾莉干巴巴地说道。

"绝对不忘！"服务生大声笑说，"你已经跟马略卡人有得一比了。对了，吃兔肉可以让这位先生非常……非常有精力，非常有营养，对不对？噢，朋友啊，"他用胳膊肘推推我的肩膀大声说，"你真幸运，太太误点了兔肉。大家都听过，没有女儿的人生，就像没有盘子的凉汤，但是兔肉？喂！先生，那可是另一回事！"

"干杯！"我注意到艾莉眼睛又开始眯起一道缝，就赶忙把话题岔开，以免好心的服务生遭受不测。

"啊！太太！多生几个吧！祝福你们！我把茴香草留给你们，你们可以自己动手榨汁。"

"您真是太好了。"艾莉平静地说。

"不，不要这样说，女士，这是马略卡的习俗，祝福您！"

"祝福您！"隔壁桌那原本愁眉苦脸的一家人也齐声祝贺。"多生几个！"新郎的母亲补充道。

"感谢上帝赐给我们这样的美酒。"我赞美地指着茴香草酿制的酒，"刚才那场灾难之后，我能喝好多这玩意儿，艾莉！你怎么开这种玩笑！我从没这么难堪过！瞧，我现在还像一片在风中颤抖着的残缺的叶子！"

艾莉忍不住大笑起来，她甚至说不出话来。

我狂饮了两杯茴香酒，艾莉也恢复了常态。我平静地建议，既然所有吃饱了饭的客人都沉浸在兴高采烈的交谈中，是我们偷偷离开的时候了。

我压低声音向服务生付账，并小心谨慎地道了谢，我们会终生铭记他的好客和慷慨。

他明白我的动机，一下子猜中了我想要逃跑的心态："先生，这是我的荣幸，不客气！"

我礼貌地握了他的手，并带着艾莉悄无声息走向门口。我踮着脚走过去，小心谨慎地打开门，没有回头的勇气。我跟着艾莉，推着她赶紧走。

"耶！"身后一片欢腾。我一转身，发现那个看似慈悲的服务生正站在餐厅中央，指挥大家向我们告别：

"再见！唐璜！再见……爱情万岁！风情万种的卡萨诺瓦万岁！"

"知道吗，艾莉，也许你对西班牙大家族的看法是对的。"在开车回家的路上，我说，"那位服务生说多子多孙多福气，我思考了一下，其实他说的也不无道理，我喜欢。"

艾莉仍然一副默不作声、相当含蓄的样子。

"是啊，我们为什么不入乡随俗呢？"我坚持，"为什么不呢？我已经吃下了超强补药，有蜗牛、酱汁和药膳，别那么浪费。"我向她抛个媚眼："我们今晚早点上床，我还要来一杯早上你榨的那种有虫的鲜橘汁，以防过于火热，好不好？"

艾莉嗤之以鼻，但真到了床上，她立马被那种自然原始的诱惑所降伏，完全迷醉了。或许，她是被我口中令人销魂的大蒜、茴香、鲜橘汁等诱人的味道熏翻的。

"好吧，唐璜，"她揶揄地低声说道，"让我们来瞧瞧马略卡蜗牛的厉害。"

"亲爱的，我知道你终于从壳里爬出来了。"我低哑地轻唤着，在隆起的床垫上靠她越来越近，"多子多福……"

没错，这些东西真管用！我甚至自然地用西班牙语诉说起让人听不明白的甜言蜜语……也许那只是一首老歌的歌名？我现在宛如纯正的拉丁情人，而我从没这么试过。

但是，噢，命运真是残酷……对我而言一切都是未知的，我强烈而神秘的性冲动竟然随着这些树木爬虫融入身体而成倍增长。正当艾莉和我即将对当地性民俗做一番实地研究时，这张老旧的床抵挡不住剧烈的摇晃，突然间，在一阵脆裂声中坍塌下来。我俩无助地坐在地板上，四周弥漫着木屑、羽毛以及一堆堆的木头。

"哇！"艾莉在尘埃中喘着气，"不得了啦！"

我屏住呼吸，点头同意，感觉到一群扫兴的微小杀手正胜利地朝下一个可以大吃一顿的战场前进。

"我警告你，"艾莉脱口而出，"下次如果再让我逮到你吃蜗牛，我就离家出走！"

— *4* —

橘园惊魂

　　四小片田地零散地分布在农庄内，铺在平缓的山坡上。四周围绕着高墙，墙外是一条长巷，再外面是农庄西侧的河。这条小河是我们西部的地界。依河床的深度来看，从前这一定是条冲刷过两侧山峰的大河，但即使是山谷中最老的居民都不记得了。在这样一个阳光明媚的冬日清晨，它不过是寂静小山谷里一条蜿蜒清澈的小溪，在黑莓枝与葡萄藤编织成的大厚毯子下面静静流淌。周围的田地寂寞地延伸。

　　我们所有果树依赖的水源是一口古井。它位于小溪后面田地的一角，隐藏在枝叶茂密的橘子树后面。树的枝干上挂满了熟透多汁的橘子。我并不知道为何会这样想，不过可以肯定的是，那是整个农庄看起来最健康的果树。

　　我斜靠着井边的矮墙，井沿的石头已被一代又一代汲水者用绳索跟吊桶磨得非常光滑，水面波光粼粼，离井口的距离很远。井有四英尺宽，作为几个世纪前那早已被忘了名字的匠人永恒的信誉见证，这石制工艺依旧承受着时间的考验，只是构造不那么精美了。在这个古老水井周围，有生了锈的铁护栏横跨砾木轴承，还有两只沉重的木齿轮和一段磨损的圆木横梁。

尽管离干旱季节开始还有三到四个月的时间，我不必急着浇灌这些树，但托马斯·费雷尔先生已经跟我解释过，我只要找到水井附近一条石板上的电动阀，就能从井里取水了。水会从铺满农庄的镀铅水管龙头喷涌而出。我认真看了水井上留下来的所有设施，上边依然挂着汲水器。但要我立刻推测出这个汲水装置是如何工作的有些困难，当然，它的原理绝对比启用电动开关这种现代设备更为复杂。

我正在沉思，不料被身后树木枝条断掉的响声吓了一跳。转头去看，身体虚弱、驼背的老玛丽亚·包萨正慢慢地向我走来。她刚才还挥舞着手中的锄头，在自家的柠檬树下锄草呢。

"早安，包萨太太。"我喊道。

"你好，"她呼吸有点困难，"啊，先生，我得停下来休息一下。"她弯下身，坐在隔开我们两家农庄的那道围墙的石头上。"拖拉机一类的现代玩意儿真是麻烦，没办法除干净树下这些杂草，又吵又闹，还不如驴子和骡子。还是以前比较好。"

"对啊，我想……你说得对。而且，我正在想，以前他们是怎么取水的，以前又没有电动机。"我拍打着那个破旧的齿轮，"我的意思是，要怎样才能让这个东西转起来？"

"啊，是的。"她的呼吸和缓了些，双手握着锄头撑住身体的重量。对一辈子在农田里工作的人来说，这是一种很自然的方式。"先生，对了，我一定要提醒豪梅，就是我女婿，要多花一点时间，带着他的除草机来果树下除草。只要你几天不注意，杂草就会把你田里所有植物的营养和水分都吸走，像西红柿、青椒、豆子……所有东西。"她摇着头悲伤地望着我们这个杂草丛生的小农庄。

我突然感到很羞愧。我必须承认，我得找时间购买一些必需品，然后开展工作；我仍然觉得托马斯·费雷尔先生卖给我农庄时没把田里该做的工作做完。可是为时已晚，面对眼前这个很挑剔的老邻居，我无法不精神紧张。

"包萨太太，能否请你的女婿给我一点建议，告诉我哪一种拖拉机比较好，还有要去哪里买比较合适。"我直接恳求。

"你可以用驴子把水从井里汲出来，骡子也行啊，当然你得有才行。这就是方法。"老玛丽亚说。她会毫不理会你当前问的问题，而只回答你先前提的问题。"看你一脸迷惑，我感觉你不太理解。"她有一点不耐烦地说。

"不……嗯，是的……我只是想问问拖拉机的款式——"

"你看，"她打断我的话，用锄头指着井，"如果你听着，我会给你解释所有的事情。你们苏格兰没有水井？"她根本不等我回答，"你看那个大轮子，那个平躺在地上，横放着的那个，"又不等我回答，"那个木头的横梁，当初的长度从轮轴那里一直到井边，然后套上驴子或者骡子就可以……懂不懂？"

我点头表示明白，可是老玛丽亚根本不在意。

"所以，驴子就绕着井走，"她继续说，那露出惊人的五颗牙齿的脸笑得缩成一团，"而且，有时候你要在驴子的前面绑一个苹果，如果它真的是愚蠢的驴子。"她发出一串气喘吁吁的笑声。"啊，那都是以前的事了。"

我打算抓住这个难得的空闲，咨询购买拖拉机的事情。"我想，我可以在安德拉奇买到——"

"等一下。"老女人对我挥了挥手指，"我的话还没有说完。如果你想知道这儿的过去，你就要认真听我说，不要插嘴。"她舒适地坐在石椅上。

"抱歉。"我估计这又是一次长篇大论，不过我还是学会了一件事，这种场合应该忍耐。花半天时间聊天是马略卡人的休闲方式，争论这个没有意义。随波逐流才能得到安宁，这是唯一的方法。我努力顺从。

玛丽亚又靠着她的锄头休息了一下，看看四周，然后继续讲她的历史课。"我说，驴子带着横梁绕着井转圈，"她做了个深呼吸，"瞧见了？那横梁就转动那个水平方向的齿轮，齿轮拉动水井正上方铁柄尾端垂直方向的齿轮滚动，就可以拉动水井下悬挂着吊桶的大轮子，绳子一圈一圈放开，打到水后，再拉紧；也就是水桶空放下去，整桶水就提上来。明白了吧？"

我点着头，然后安静地等玛丽亚从袖子里拿出手帕，优雅地擤鼻涕；在将手帕收回袖子之前，她认真检查手帕里的东西，显得很慎重。

"我年轻的时候习惯用拇指擤鼻涕。那个时候我还不是个淑女。他们还没有教育我如何更有修养。"她坦陈，"不过，通常我都认为拇指比袖子好用得多。呵呵。"她一笑，那五颗牙又露了出来。显而易见，老玛丽亚·包萨有些兴奋。那是当然，有人喜欢听她唠叨过去的事情。当这个老妇人品尝隐秘记忆的时候，她长时间沉默着。

我感到这又是借机转变话题的机会。"噢，包萨太太，真抱歉，我——"

"不要着急。"她意味深长地轻轻摇头，"年轻人，别那么着急。你只要有耐心，我就能解释清楚所有事。"

玛丽亚拖着步子，小心地踩着碎石，从墙间的缝隙穿过，习惯性地婉拒了我好意的搀扶。她轻轻拍了锄柄，靠在一段旧的金属排水管上，排水管从水井一直延伸到墙外的一个石头水槽里。她继续说道："当桶转到轮子顶端，水就被提上来，然后倒进这个管道。水管以前都是用木头和瓦片制成的，好像是这样。水倒进那个水槽储存，以备不时之需。你一次可以汲很多水出来，然后得让它休息一下，等水位升到一定高度时，再来一次。"

"哦，那……那个——"

"然后，当果树需要灌溉的时候，驴子会拖着犁，犁过每一块田，犁沿着成排的树从这一头到那一头，沟渠就形成了。沟渠是一整条，当你把水槽的闸门打开，水就沿着沟渠浇到田地里去。"

"全部都靠驴子的力气完成。"当确定她说完后，我下了定论。

"是的，这种老式的驴力水车是古时候阿拉伯人引进来的。他们说，驴子是非常有用的小动物，比农田里的拖拉机还好用。"包萨太太侧身挪着脚步，一边推搡着我的手臂，"你听说过柴油能帮助果树生长吗？没有，当然没有。好，你只要看看水井前面那棵橘子树就行了。那不就是你整片农场上最健康的树吗？"她用肘关节顶了我一下，让我走到树前，"这棵树是你整座农庄里最健康的树，知道为什么吗？当然不知道。好，我告诉你，那是因为驴子在水井旁工作，休息的时候，他们就把它拴在那棵树下休息、进食。懂了没？"

"搞不懂，我……我想你恐怕要带我到那棵树下……"

老玛丽亚看着我，后悔地摇了摇手。"先生，驴站在树下吃东西、喝水，懂了没？那接下来会发生什么？最后一定要留下什么，对不对？"

"哦，对！我现在明白你的意思了。"我傻笑着，"是驴那个……"

"对！就在那里，树下！"她拿起锄头敲着地，仿佛要往我这个外国人大脑里填满信息。然后，她握住一个小橘子，仔细检查，又说："老帕科总说这就是为什么这棵果树会那么好，我现在倒不那么确定了。"

"不确定？"

她举起肥胖的手臂，夸张地晃了晃肩，又一次露出她那五颗闪闪发光的牙齿，狡猾地笑着。"先生，只能说那是一头神奇的驴子，因为这棵树一直到现在都还是很健康。从那头驴在树下排便到现在，差不多有二十年了。"

整座果园都能听到她咯咯的笑。

"哈哈！先生，希望我母亲没冒犯到你。"

我循着声音望去，看见一位身材魁梧、上了年纪的男士站在石墙另一边包萨太太的柠檬树丛里。一头杂乱的白发盖在一张快乐慈祥的脸上，上等的牛角框眼镜摇摇欲坠地悬在鼻头。

"啊，豪梅，是你啊，"玛丽亚尖声嚷嚷，"你知不知道田里还有杂草？你真该卖掉拖拉机，买一头好驴子！"

"妈，是，是，随你怎么说，"他伶牙俐齿地笑着说，然后转向我，"先生，你好吗？我是豪梅。请不要相信我岳母说的话，她是个老滑头。"

玛丽亚用马略卡话嘀嘀咕咕地咒骂着，我很高兴我听不懂。

"豪梅，早安。我是彼得，来自苏格兰。"当那个大块头极其热情地和我握手时，我说道。

"哦，彼得就是佩德罗，对不对？所以你是苏格兰的佩德罗伯爵，对不对？"豪梅听得出我喜爱这个头衔，他的肩膀抖动着，默默笑了一下。他友善地拍了拍我的背，只不过稍有些用力，我呛出泪水来了，咳个不停。玛丽亚在一旁愉快地偷着笑，豪梅又赶紧帮我拍拍背。

"啊，豪梅，很高兴认识你。"我急忙打岔说，假装毫不在乎地拭掉眼角的泪，"你看，我们家的橘子可以摘了。之前，包萨太太说，你可以告诉我如何将这些橘子卖掉。"

老玛丽亚立刻把锄头捅到豪梅胸口，好像要把他想说的话都顶回去。"他需要一台拖拉机，"她断然宣布，毫无征兆地重提之前一直没有回答的问题，"他需要一台拖拉机。我知道他其实需要一头驴，但是如果他想要一台声音嘈杂、气味难闻的新玩意儿，就像你们这几个新玩意儿一般，我想你最好告诉他去哪里可以买到。"她摇摇晃晃地拿着锄头靠向石墙，又咕噜着说起马略卡话。

我想她非常懊恼，她回忆早年时期的精彩演说全被豪梅打断了。

她的女婿和善地偷笑，看着老太太安全地回到她的农场。"先生，别担心，我很乐意回答你那两个问题，"他慷慨地说，"希望我岳母没有让你太难堪。这些日子，她的思维都是跳来跳去的。你听习惯后，就比较容易跟上。"

"是的，她真的很有个性，这一点挺让人着迷的。我很喜欢你岳母，她是一位乐观健谈的老太太。"

他非常温柔地笑着，"她还是个顽固能干的老家伙。每天早上仍和我从村子跑到这里，到农庄干活。你知道她年纪多大了吗？"

"知道啊，第一次碰到她时，她告诉我她八十二岁。"

豪梅开怀地笑了出来。"她差不多九十二岁了。咦！她竟然谎报年龄！真是典型的女人！"他清了清喉咙，一副像是在做生意的神情，"好，先生，我现在就来告诉你，但我必须提醒你，我不是农业专家。"就像老玛丽亚有顺风耳似的，他眼睛盯着石墙，声音低沉，"老实说，我真不是很喜欢务农，太多辛苦的工作要做了。"

我们慢慢地走远，两家果园悄悄隐没于视野之外。豪梅静静地吹起口哨。他似乎一点也不急着给我任何忠告，甚至一点也不担心我那些橘子，以及地上那些茂盛的野草。大概是我多虑了。几分钟后，他突然换了方向，回到水井这儿。

"真的，先生，我真的很不喜欢务农，"他又重复了一遍，

"我在农场工作只是为了让我岳母高兴。农庄是她的生命。她守寡多年，而农庄是她的全部，你明白吧。"他拂去羊毛外套上的灰尘，扣上衣服扣子的时候显得有些困难，他的腹部发福了。他从眼镜的上方诚挚地看着我，"告诉你，我是个职业服务生。我不是农夫，而是服务生。"他又拉了一下他的羊毛外套，手自动举起来放在曾打着领结的地方。

"哦，服务生，真的吗？是在附近的餐厅吗？"我天真地问他。

他惊骇地望了我一眼，"先生！餐厅？餐厅？"他把宽大的工作裤往上拉，把上衣往下搂，可都是徒劳，这两件衣服就是碰不到一块儿，"我是索恩维达大酒店的服务生，那可是马略卡最豪华的五星级大酒店！"他骄傲地挺起胸膛，裤子又滑回肥胖的肚子下面，"嘿，先生，我在索恩维达大酒店做了二十五年服务生。"

"那真是非常了不起哦……能在这么好的酒店工作。我想你一定骄傲极了。"我绝对没有谄媚的意味，不过是将心比心，可突然又感觉这样确实有点谄媚。显然，豪梅坦率地接受了我的赞美。

"先生，所以你能体会，农庄工作不适合我本人。"他踢着地上的野草，"我习惯那些更好的东西了。"

"我知道，所以你是都市人？你是帕尔马人喽？"

"不是……不是。"豪梅回答，我感到他的语气有些抗拒，"先生，不是。我的确是在这个小镇出生的，就是墙上有日晷的那座老房子，巷口附近。"

"所以你确实是乡里的人？"

"先生，我是乡里的人，但我的心仍在索恩维达大酒店。他们要我提前退休，因为我的腿有些问题，你了解的，由于职业的原因，啊——腿脚都受损了。"

"不过，豪梅，我想你一定可以得到一些补贴，所以能在这么好的地方退休。更何况，这里还是你的家乡。"

"也许吧，"他渴望地说，"我怀念大酒店忙碌的气氛，那里宽敞豪华的环境，都是些富家子弟、皇家贵族。毕竟，过穷苦人家的生活不太容易。"他暗自笑了一下，"我现在唯一的顾客就是我岳母的老母鸡和猪，它们只是不会像索恩维达大酒店的客人那样大方地跟我打招呼。"豪梅诙谐地笑着，拍拍他的大肚子。我感觉他很像没有穿红色衣服、没有胡子的圣诞老人。

虽然老豪梅大肆炫耀大酒店生活，但我认为他是个非常知足的人，尽管他自己并没有完全意识到这一点。要他在习惯了一份正常稳定的年薪之后，只靠农场那份微薄的收入过活，的确不容易。但至少等他老了，他还可以回到自家农庄，而他的大多数同事都不可能有这个机会。

"当然，因为我的伤腿，我还领到一点抚恤金。"豪梅说，他似乎看穿了我的想法，"感谢上帝。所以我不需要靠农庄过活，在农庄工作只是为了让岳母高兴。我想，有一天我和我太太一定会把农庄卖掉，等我岳母死后……也许她会长命百岁。"他又咯咯地笑了，"无论如何，我们还是比较喜欢住在城市的公寓里。那个老房子，我出生的那个有日晷的房子，那是我爸爸的遗产，不过我不喜欢住那里。样式实在太老了，我不喜欢。我喜欢现代化的公寓，我在安德拉奇生活还是蛮舒服的。"

"可那栋老房子是你出生的地方……房子很漂亮。艾莉和我每次经过时都忍不住赞美一番。它真的太漂亮了……种了葡萄和天竺葵的小阳台，大门旁的石墙，门口那棵挺拔的老无花果树……而且，那墙上的日晷实在太神奇了。我的意思是，它简直就像风景明信片一般。我想它现在一定涨价了。卖掉它你不后悔？"

豪梅看起来有点吃惊。"后悔卖掉它？哦，先生，没有，我没有想过要卖掉它，我要把那栋房子留给我儿子。"他的眼睛突然变得炯炯有神，"对的，我儿子，何塞。他现在有两个孩子——两个女孩。他是军人。他表现得也很好，今年可以晋升。还有……还有……"豪梅突然一脸愁容，声音突然变得低沉，"我和他妈妈非常担心他。他们提拔他以后，就要送他去巴斯克地区的毕尔巴鄂。那里对军人和家属而言都是非常危险的地区。到港那天，他们会带着枪炮。我很担心，我们真的很担心。而且，我们真的很想他。"豪梅焦急地把眼镜往鼻梁上推了推，然后用力咳了一下，"先生，何塞是我唯一的儿子……我唯一的儿子。"

老人静静地站在那儿沉思，透过镜片望着远方的群山。我不禁想着，倘若现在仍旧是包萨太太心中那"美好的过去"，豪梅和何塞就会仍然生活在这个平静的小镇，为小农庄的起色而工作，丝毫没有对"更好的东西"的执念。

"这都是我们为发展付出的代价，豪梅。"几番思索之后，最后我说了出来。

"先生，非常抱歉，我刚才心不在焉。"豪梅从口袋里拿出手帕，然后用力地擤了擤鼻子，眼镜又滑到鼻头上，然后他恢复了愉快的神情。"不过，我不会把房子卖掉，虽然我有很多机会。啊，常有外国人想要买我的房子。还是租给他们比较好。这样我也能有一些额外的收入。你知道的，有一天我再把它交给我儿子。"

"你儿子真是幸运极了。"

"还好，正常啦。做父亲的把房子传给儿子，这是天经地义的事。"豪梅把一只手搭在我的肩膀上，带着我慢慢穿过果园到另一边去，"的确，我岳母的农庄有两栋房子，在靠近卡普德拉村那里的小山丘上。看得到吗？"他手指着林子那边两栋连在一起的半荒废的石屋。从那里可以俯瞰到整个山谷和大海。

"哦，从我们家楼上的窗子也可以看到。那儿真的很高。

我相信，视野一定很好。我和艾莉常说，那些房子如果整修一下一定非常棒。"

"先生，真的吗？你真这么想？"

"我真的这么想。外国人都这样想。整修过后的老石屋，那是他们的梦想。"

"那么你认为像那样的老房子能卖掉吗？岳母把房子送给了我太太，不过我们也用不到，我说过了。但我觉得那房子不值多少钱，都破破烂烂的了。"

"我不知道，"我摇着头说，"不过，附近有很多房地产中介，他们可以帮你估一下值。"

豪梅停了下来，眼睛从镜片上方望过来。"就当是朋友开玩笑吧，如果你要买这些房子，依你来看，你觉得自己会花多少钱？"

"这很难说，我必须先仔细看一下房子。"我估出一个价格，是一个大胆的报价。

"每一栋？"他睁大眼睛，怀疑地问。

"是的，当然是每一栋。"我断言。

"不对，先生，不对。我给一些德国人看过了。他们出的价比这个报价贵两倍。不，我现在还不能卖。再等等吧。"

我惊呆了。眼前这个衣着邋遢的老先生看起来好像穷困潦倒，而实际上他很富有，随便就有五十万英镑。他还有退休金，加上工伤补助，加上那栋有日晷的房子的租金，再加上农庄的收入。他却说他怀念服务生的工作！

然而豪梅只是众多老年马略卡人中的一个，他们选择过"穷人"的生活，稳稳地等着继承"农民"的财产。这些财产本来也值不了多少钱，大批外国人到这里来，到马略卡乡下寻找一个安静休闲的地方隐居，导致这里的房地产价格不断上涨，超出他们的想象。这些长期无人居住的石屋价格不断攀升。马略卡老人都发现了这一点。他们都是精明的乡下人，是小气的农民，都知道怎样挤奶。有一个农夫告诉我，身上有金奶头的母牛就像独角兽的大便一样好找，所以，这种牛如果误打误撞进入你家牛棚，一定要想办法把它榨干。

毫无疑问，豪梅赞同他们乡下人这个朴素的哲学思想，而他也已经准备好挤奶的木桶了。

"我的小麻烦真是够多了，不过你想知道怎么卖橘子？"他停在一棵看起来非常可怜的橘子树旁边，"先生，你会种橘子吗？"

"我完全不懂，其他水果也是。"我必须承认。

"嗯，你说得没错，你的橘子是该摘了。大部分橘子都熟了，其他的再过几个月也都可以摘了，橘子外皮成熟变黄就能摘了。看起来都熟了，但还是不要摘。把它们留在树上，等买家上门来再摘比较好。"

"豪梅，那正是问题所在。我没找到任何买家，也不知道去哪儿找。托马斯·费雷尔告诉我，老帕科总是星期三拿很多橘子到安德拉奇市场上的摊位去卖，但我不行，我没有执照，我要等警察局的居住许可，那还需要好几个月。"

豪梅沉思地咬着下唇。"嗯。你真的有麻烦。大麻烦。我种的橘子很少，我种的大部分是柠檬。我通常直接把它们卖给安德拉奇和周围的一些小水果店。如果我在市场上有摊位，我也能卖贵一点。不过，直接把水果批发给水果店比较容易，这样我也卖了好几年了。"

"好的，那我是不是也可以这么卖？"我满怀希望地问。

"先生，可能吧，但我不这么想。这附近种橘子的早就垄断了市场。当然，你可以问一下，不过……"他严肃地摇了摇头。

"哦，我不能让橘子烂在树上。我一定要想办法卖掉，一定会有批发商愿意买的，什么批发商都可以。"我开始觉得非常无助，这事完全超出我的理解范围。我到底着了什么魔，要来做这些完全不懂的交易，还是在语言不通的异乡。毕竟，在苏格兰我可不必考虑卖水果这件事。绝无可能！

他笑着，友善地拍拍我的手臂。"先生，别太担心。你们是外国人嘛，在马略卡，一切皆有可能。"

对他来说的确如此，我自忖。他当然可以仁慈地笑笑，没有一点问题。他是当地人，什么都不缺。这老家伙这么有钱，而我离家一千五百英里，把所有的家当统统丢到马略卡的这辆水果车上，现在车轮子都要掉了。

豪梅又开始吹口哨。他从上衣口袋里掏出一个信封和一截短短的铅笔，在信封上写了些什么。"先生，这张纸给你。你拿着，这是佩格拉海边附近一家水果零售商的名字。他在钢琴酒吧后面开了个小店。我会把多余的柠檬拿去给他。他很公正。我相信他会给你一个不赖的价钱……直到你自己找到出价更高的水果商。"

　　"赫罗尼莫先生——新鲜水果"。我读着豪梅给我的纸条，就好像周末夜晚在路上捡到了一张五镑的钞票，我奇迹般地获救了。我跟豪梅握手，感谢他的慷慨。我要如何回报他给我这个在马略卡第一次交易的机会？他真是一个好心的邻居，也是一个好绅士——西班牙绅士。

　　但是，我只高兴了一会儿。

　　"先生，不太妙，你的橘树生病了。"豪梅遗憾地低声说，并透过他的眼镜看着耷拉的叶子和发育不良的树干，"你看……橘子表面有黏黏的脏东西。"

　　"对，我注意到了。这不太好，对吧？"我担忧地等着他回答。豪梅又吹着口哨，检查附近的橘树。

　　"我想是有虫子，但是我不很确定。先生，你得去请教专家。"豪梅把眼镜推回鼻梁，"佩佩·苏沃是个高手。他为我照顾所有的树，照看农场、修剪枝叶等等。他的确是位专家，马略卡最棒的专家。"

　　现在我们有点门路了。我终于找到了真正的果树专家。

"我上哪儿去找佩佩·苏什么？他叫什么来着？"我急忙问。

"佩佩·苏沃？你不用去找他。他通常都在溪边，我们家农庄那边。"豪梅开心地咯咯大笑，像只生了蛋的大母鸡，"先生，你在这儿是外国人，别太着急。这是马略卡。一切都会好转的，就是得慢慢来。"

看来在感受生活和解决问题之前，我似乎还要再放松一点儿。我要努力工作，要有耐心。如果要过西班牙的乡村生活，我还有很长的路要走。随时随地保持耐心将成为我的座右铭，慢慢抛弃我那荒诞的盎格鲁–撒克逊民族工作风格。天哪，你工作是为了生活，而不是反过来。这是当地人的想法，我凭什么和他们争论？

豪梅正在察看一株长得可怜巴巴的树，那棵树叶子尽褪，斑驳的树皮汩汩地渗出树脂，他轻轻推了一下树干，大树颤动，一根大枝劈落下来。

"豪梅，这是不是表示这棵老李子树已经死了？"我担心地问，习惯性的紧张又来了。

"差不多，但也不完全是。你该知道，我不是专家。但是不用怕，要是有人救得了它，那个人就是佩佩。嘿，而且这棵是杏树，先生。那边才是李子树。"他微笑地指着一棵同样凄惨的树，"不过，你的'卡其思'看起来很不错。"

"我的'卡其思'？"我茫然地看着他。

"我想，你们英国人叫它柿子树。"豪梅笑着说。

我还是不明白。

"不过，看那棵树。你的无花果树长得真茂盛。还有柚榴、石榴。这里有很多、很多、很多工作可以请老佩佩做。"

前往柠檬树林的路上，豪梅又不经意地吹起了口哨，我越来越紧张，这种全方位让人窒息的焦虑感是他所无法想象的。我们太不了解费雷尔家卖给我们的这屋子了，处理好这堆垃圾就要不少钱。我从这果园赚不到任何钱。我想，在我的投资还没有收到任何回报前，恐怕我就已经破产了。我的钱全都白白花掉了。我成了西班牙的无产阶级，而且还是个外国鬼子。上帝啊！他们一定会把我抓进监狱！艾莉和小孩会潦倒终生！

"你看新发的嫩芽。"豪梅站在柠檬树旁对我说，"这些都是吸血鬼。"

"请不要跟我提'吸血鬼'这三个字。"我低声地说。

"就是这些东西把果树的精华全给吸光了。"他继续说道，"你们家的柑橘树全都会长出这些东西，因此必须全部砍掉。不过，不用怕。等到春天，佩佩会替你处理所有的工作。佩佩要做好多事，因为我必须……"也许他感到我今天的厄运实在太多了，豪梅慈祥地望着我，如同父亲一般搭着我的肩膀，轻柔地说："你看，佩德罗伯爵，这些树就等春天再说吧。我们现在先去看拖拉机。你不是想看西班牙的拖拉机吗？"

"是的，嗯……你看这些草……这也是我必须要处理的，而且……嗯，我甚至不知道哪里有……"我陷入绝望的深渊。

"放松……放松……别紧张，佩德罗伯爵。"老豪梅如同唱歌一般地劝我，安慰地拍拍我的肩膀，带我走到石墙的那个缺口，"以前小何塞晚上害怕的时候，我就会对他说：早上就好了。佩德罗，相信我，开了春，一切都会好起来。"这是个仁慈的老人，半个小时前，我们才刚刚认识，现在他就开始把我收在羽翼下面了。他让我知道，他了解我、在乎我。我刚刚明白，我们真是何其荣幸能与豪梅和老玛丽亚做邻居。

"喂——！喂——！"是艾莉。她手上拿着篮子和修枝的剪刀，从另一片橘子林的绿荫丛中探出头来。

我唤她过来，"艾莉，这位是包萨太太的女婿，豪梅。他正要带我去他们那边看拖拉机。"

"很高兴认识你。"艾莉伸出一只黏糊糊的沾着橘子汁液的手，微笑地说。

"我也是。"豪梅简单鞠了个躬回答，然后一只手臂弯在背后，害羞地微笑，就像在等艾莉点咖啡似的。

"你不介意我和你们一起去吧？"艾莉问。

豪梅礼貌地点了点头，然后用流利的英文回答："夫人，这边请。"

"豪梅，我没意识到你会说英文。"我非常惊讶。

豪梅带我们走向他的农庄。他害羞地笑着说："哦，我能说法文、德文，我甚至还会说意大利文，但是都说得不太好。我只会讲酒店服务生的一些话。"

"尽管如此，"我回答，"如果我们有机会可以说英文的话，对我将有很大帮助，因为——"

"哦，不，不。对你并没有什么好处。"豪梅打断我的话，他停下来，眼光从眼镜的上方斜下来看我，像智慧的老猫头鹰，"这是我的国家，你必须说我们的话。你可以随时来找我练习西班牙文，佩德罗，随时。"

得到充分告诫的我们跟着这位仁慈如父的老邻居，沿着果园边界的小路走过结满圆润金黄果实的柠檬树林，这些柠檬看上去跟英国产的完全不是一个品种。

"不赖吧，这些柠檬？"豪梅说，似乎再一次猜到了我在想什么，"你的也可以。一切都交给佩佩·苏沃吧。没问题的。"

不久，我们走到了林间的一片空地，这里是包萨家农庄的中心，或者说垃圾场，有点杂乱无章、简陋的小屋和牲畜圈用上了各种各样的建筑材料，那些材料可以在任何建材商那儿买到。空地的中间有两棵茂盛的棕榈树。工具房安静地坐落在那里，是一间储存着农场工具的小石屋。生了锈的管子搭成的架子摇摇欲坠地横在石屋前，野生葡萄藤和九重葛缠绕其上，充当了临时的凉棚，遮盖着门前一张矮桌子和两条木长椅。

木屋后部搭在旧电线杆底座的混凝土柱上，这梁柱支起了五花八门的木料及波状起伏的石棉瓦制成的低矮房檐。块块岩石和煤渣石随意放在屋顶，大概是想阻止南下的特拉蒙塔纳山风把屋顶吹走。豪梅的老式雪铁龙舒服地停在前面形式大胆的敞棚里，周围放了一些乱成一团的用来放水果的板条箱、几捆稻草和藤条。

农庄的另一边是牲口活动的地界。那里有间用马略卡砂岩做成的快要倒塌的单檐坡小屋，古老的红砖屋顶和农庄很配，大半个撑在果园后头的围墙上。旁边有一条短短的围栏，围栏的摆放很随意，是用杏树的干枝和细铁丝捆绕在一起做成的。栅门倒是气派，用金属床尾做成，挂着黄铜把手。

豪梅匆匆跑到前面告诉他妻子和老玛丽亚我们来了，我和艾莉便先停在他们那栋和现代气氛融合得不是很好的房子前，不知怎的，其实那房子也有自己特殊的魅力。虽然看起来有一点破损，有一点摇摇欲坠，不过在马略卡雄伟的群山背景衬托下，它仍旧非常完美。这个农家小院半隐在柠檬果园下一个隐蔽、温暖的角落，背后有壮美高阔的山峰，形成一幅自然天成、令人惊叹的田园美景。

老玛丽亚一发现我们来了，竟完全无视豪梅和她女儿，就拖着不愿干活的腿跑出来迎接我们。"苏格兰来的夫人，你可真漂亮啊！"她喊着，露出五颗光灿灿的牙，大笑起来。她搂着艾莉的头，在她的脸颊上亲了一下。"欢迎光临寒舍！"她拉着艾莉的手臂，唠叨个不停，"欢迎来到我们农庄，在这里不要客气。"她邀请艾莉和她一起坐在饭桌旁。我感觉这位老太太完全忽视了我的存在，我可能不太受欢迎。她专心和艾莉说话，毫不停歇。

趁老玛丽亚喘了口气，豪梅介绍了他的夫人安东尼娅。安东尼娅干净、整洁，长相俊俏，脸上含着笑容。他俩真是天生一对。

"好了，佩德罗。你准备一下，我们去看拖拉机。"豪梅不失时机地建议我。

"拖拉机？呸！那个又吵又臭的脏东西。"他岳母嘲笑地说。

"太太，走，我带你去看看动物。我正好有良种的母鸡。你喜欢我给你的鸡蛋吧？今天我再给你一些。你知不知道，费雷尔太太在你们搬来之前，把所有母鸡都丢进锅里煮了？你一定要养一些母鸡和猪才能算马略卡女人。我带你去看我的猪。"她推着艾莉，挽着她的手臂往第一个栅栏方向走，"太太，下回我们杀猪的时候，你们要来看哦。啊，你们当然会来，那才是真正的宴席，就像以前一样，我教你做马略卡香肠。你知道吗？那可是我们用猪血做的。"

豪梅和他太太耸了耸肩，相互看了一眼，然后无奈地摇了摇头。

"先生，我必须向你道歉，"安东尼娅不好意思地说，"我希望你太太对被拖去看动物这件事不要介意。我妈不是那种自私的人，她只是以家为傲，而且你了解的，她也没有什么新朋友。"

"是的，我了解，请不用担心。艾莉和我一样都很高兴能四处看看，她有很多需要学习的地方。"

"啊，先生，欢迎你。你们真是心地善良。"她甜甜地笑着，然后转身对豪梅说，"等你们看完拖拉机之后，我要好好招待一下我们的新邻居，要不然人家一定以为我不懂礼貌。"

豪梅露出熟悉的笑容，拍拍他的肚皮。"嗯，佩德罗，我想你们来，我太太有一点意外。"

要看拖拉机，豪梅必须先把他的车子移出棚子，这样会打扰到一对正在洗日光浴的鸭子，而且容易惊吓到在帆布车顶收起翅膀、脾气不好、正在打盹的母鸡。

"佩德罗，这种拖拉机是最好的，最适合这里的土壤，也能钻到树枝下面去。"当他把防水布移开，抖掉鸡粪时告诉我。他崇拜地望着他的拖拉机，"真是一台好机器，是不是？"

我的舌头突然像打了结，说不出话来。我知道这种小果园用的拖拉机和我家乡用的那种大型机器不一样，但是，豪梅的拖拉机……真的，它根本不是什么拖拉机，充其量算一辆电动玩具车。

豪梅会错了意，以为我张着嘴一副难以置信的神情是在表示赞美。"啊哈，啊哈。佩德罗，我就知道你会喜欢。它真的很漂亮，对不对？意大利制的，巴维里牌！"他流露出骄傲的神情，并且走到一旁好让我欣赏他自豪的宝贝拖拉机。

然而，困扰我的是这台拖拉机只有两个轮子。轮子倒也坚固，各自在小引擎的一边。只是它没有座位，也没有方向盘，只有一对带着长柄的把手，看上去像一台古老的摩托车。

"嗯，豪梅，它真的很漂亮。"我撒了一个善意的谎，"它……红白相间，真的很漂亮。"

"不，不，不，不，不！"豪梅在我的面前晃着他的食指，"颜色倒是其次。重要的是马力，这辆拖拉机马力很好，它有十二马！"他握紧拳头强调了这个重点。

"好啦，好啦，十二马，真的？"我心不在焉地说，我用惯了十倍于此的马力、有四个轮子、有座位和空调驾驶室的拖拉机。不过这种拖拉机适合这种果园，所以我最好接受事实，听听他的忠告，我需要拖拉机。

"佩德罗，有一件事，这台拖拉机用的是柴油引擎。"他攥紧了双拳加强气势，"柴油……你一定要用柴油引擎的拖拉机。二冲程汽油引擎？没有用。那完全是垃圾！"

"二冲程汽油引擎力量不够。是吗？"

"完全正确。这个山谷的土壤很难耕作。雨季很泥泞，旱季又硬得像水泥。你需要一台马力大的拖拉机来耕作。"

"好，豪梅，我明白了，不过，你能否告诉我，我好像看到这里有四个轮子的拖拉机，所以，我想知道——"

"不，佩德罗，不行。"豪梅伸出五根手指在我面前摇晃，"听着，四个轮子的拖拉机一定会有个座位。"

"对，我想这样安排比较好——"

豪梅把手重重地放在我肩上。"你要想想，那些树枝长得几乎触地。头顶的树枝从树干伸出差不多有两米。对不对？"

"对。"

"好，如果你坐在有座位的拖拉机上，在较低的树枝下就无法迅速转弯，而且你也没有办法往前开，你会折断那些树枝。你的脸也会碰到它。还有，你没办法边驾驶边除草，你必须回头再自己动手除。可是这样太费工夫了，佩德罗。对不对？"

"对。"

"好。所以走在这种两轮的拖拉机后面，你就可以轻易地闪开所有东西。我的病脚也能开动它。两轮的拖拉机是驴子之外最好的工具。不对，它才是最好的，因为它的马力比驴大，同时它也不会把屎拉在你的靴子上。"

我感觉我被说服了。我需要一台两轮拖拉机，十二马力，迷你的。

他关切地拉上防水布，"佩德罗，现在我们必须去我妈那里把你妻子救出来！"

我们可以远远地听到老太太的声音："太太，你要知道，有些人会告诉你，羽毛竖起来的母鸡会生蛋，你可千万不要

　　　　　　　　马略卡之冬：雪球橘

相信。到外面去，让我来告诉你。"

艾莉从养鸡的棚屋里出来，弯着腰小心走过低矮的屋檐。老玛丽亚紧紧地跟在后面，一只挣扎的母鸡被她倒着抓在手中。她用手指戳进母鸡的下部，母鸡发出一阵无用的抗议，一只眼睛转向门口，愤怒地盯着抓它的人。

"喂，"老玛丽亚得意扬扬地抓着不停扇动翅膀的母鸡，走到艾莉面前，"要找会生蛋的母鸡，就要看她的屁眼是不是干净完整。"

"妈！"豪梅的妻子站在门口大声喊，"够了吧，我相信这位太太早就知道要如何挑选母鸡了，她不是到这里来学习挑鸡的。到这儿来，请坐。我一定要好好地招待我们的新邻居。"

玛丽亚有点不情愿地用马略卡方言嘟囔了一句，就把母鸡丢回了鸡棚里。

豪梅一回来就看到我们坐在饭桌前，安东尼娅跑到里面，回来时带了条自制的大面包，一盘色泽艳丽、红透了的西红柿，另加一罐橄榄油。这小橄榄油罐有点像细长嘴的水壶。

"如果知道你们要来，我一定会从城里带些特别的东西，不过，我想，也许希望你们会喜欢这些马略卡传统风味点心。"安东尼娅一边把新鲜、带着硬壳的面包切成片，一边对我和艾莉说。

我发现，此刻豪梅已经悄悄地溜向拖拉机棚子了。

"这些是今天一大早摘的，"玛丽亚趁她女儿切西红柿时插进来，"你瞧，这些西红柿种在那边的杏树林里。你们有没有看到田里那些甘蔗？如果天气一直这么好，到圣诞节我们就可以吃到新鲜的甘蔗了。然后我会把剩下的收起来，用绳子绑好，吊在室内。那些西红柿够我们吃到明年丰收……就和过去一样。"

"当然，我们现在会把多余的西红柿储存在瓶子里。"安东尼娅加了一句，她把一片片西红柿贴在面包上，直到面包变成粉色。

老玛丽亚弹了一下艾莉的手背来引起她的注意。"这些日子以来，我们会把多余的西红柿储存在瓶子里，你知道吧。"

"是吗？这真是妙极了。"艾莉说，装作很惊奇的样子。

"啊，是的，是的。这是个好主意，"她挤了一下眼睛，"我想与时俱进。"她又敲了一下艾莉的手背，"明年你要亲自种一些西红柿。不需要种很多，只要在较好的棚地上围一两垄，但一定要在满月时种才行。"

"啊？"艾莉有些困惑。

安东尼娅从她的橄榄油罐里倒出些许橄榄油，拌在贴了西红柿片的面包上。然后她把剩下的西红柿全部切成细片，贴到每一片面包上，拿起橄榄木制的盐罐撒上细盐，这样就做好了。"面包好了，大家来吃吧。"

我们来到饭桌旁，饭桌中央是一只白色的大盘子。

"安东尼娅。"老玛丽亚说道，以此来表现她的权威，"你该解释一下这可不是普通的面包片，这是为我们的客人特制的面包片。"然后她转向艾莉："这是因为她加上了西红柿。你明白的，我今天早上起大早刚刚摘来的。"

"好了，母亲，我们都知道是你的西红柿了。"女儿叹了口气，拿起勺子从腌菜罐里舀出一些墨绿色的新鲜小枝，"你最好介绍一下这些小菜，让我们的客人听一听。"

"啊，海茴香！这是真正的马略卡佳肴。海茴香，你知道的嘛，就长在我们家的海岸附近。采集后，浸泡在盐水里，然后用醋腌着。制作手艺简单，也不花费工夫和钱。来，太太，尝一下，如果你喜欢的话，我可以告诉你上哪儿去找它。"

艾莉象征性地咬了一口，突然间把整块全部塞进了嘴巴里。"嗯，真好吃。有一点像小黄瓜，不过更美味。"

"很好吃，对不对？"玛丽亚询问道，露出她那五颗楚楚动人的牙齿，期待地笑着。

"对！很好吃。"艾莉流利地回答，"非常好吃。"

"嗯，太太，以前我们随时都可以吃到，这待遇简直就是皇后才有。它实际上不值多少钱！我们什么都有。橄榄油，岩石边采的海茴香，田野里摘的西红柿，全都不用买。我们只需要烤面包。以前，每户人家的石墙里都有一个大烤炉，在一些宗教节日或特殊场合，我们用烤完面包后的余火来烤小猪。可恶，说到猪……"

豪梅又出现了，笑得非常开心，两只手小心翼翼地托着一瓶满是灰尘的葡萄酒。"这是我自己酿的。最后一瓶了，一九八二年的，"他慎重地宣布，砰的一声拔出软木塞，非常专业地把紫红色的液体倒到他太太那精致的玻璃杯里，"一九八二年的好酒，"他顺口说了出来，拿起杯子用力地嗅了一下，沉醉般地闭上眼睛，又不由自主地咳了一下，然后姿势优雅地端起酒杯，"敬我们的新邻居！祝你们在山谷里生活快乐。"

安东尼娅和老玛丽亚举起手中的杯子，异口同声道："祝我们的新邻居一切顺利！"

豪梅非常豪爽地喝下他宝贝的一九八二年红酒，他的夫人则小口地啜饮着，老玛丽亚静静地把背靠在桌角，非常不满地喝着酒，用她那马略卡口音的西班牙语独自嘟囔着"驴子的小便"和"别想要拿白手杖换她唯一信任的锄头"。

我勇敢地喝了一大口豪梅自酿的红酒，像品酒专家一样把酒含着细细品味，接着像酒鬼一样咽下去。

豪梅透过镜框非常仔细地观察我的反应。"牙齿还好吗？"我问自己，用舌头数着牙齿，只是想确定。哟，我这辈子也喝过烈酒，但是豪梅的这个东西才是令人惊叹的酿酒业怪物。

"我能看出来，你也是个红酒爱好者，佩德罗，"他努力从我的强烈表情中寻找些赞美的情绪，"你什么都不用说，我知道我这瓶八二年的酒……无与伦比，无法形容。"

对于初尝者，"吓人"这个词就挺合适的，我心想。这瓶酒从酿造时就不是给小男孩喝的。

"现在你们要品尝一下我太太做的'橄榄油面包'。我想你一定会发现，它和酒配起来实在是太美味了。"豪梅毫不做作地扮演起一个大酒店的服务生。

我听过别人对这个马略卡食物的夸张形容，但就字面意思而言，它指的就是"面包上加点油"。这几乎无法激起我的食欲，然后我才知道自己都错过了些什么。刚吃了一口这看似简单的三明治橄榄油面包，我的味蕾就感受到了强烈的刺激：柔软的、强烈的、奶香的、甜甜的、酥酥的、脆脆的、油油的、苦苦的、新鲜的，真是令人难以置信。而且，豪梅说得没错。"橄榄油面包"和他的烈酒真是完美的结合。不管怎样，我注意到，艾莉和安东尼娅把她们杯子里的东西默默倒进了更有品鉴力的老公的杯子里。

正午温暖的阳光穿过藤蔓洒到我们身上，网格般的光影在桌面上缓缓移动。一只神气十足的小公鸡在院子里倨傲地走来走去。当橄榄油面包送上来时，它突然跳上桌子，趾高气扬，放开了破裂的嗓音啼叫，并且斗胆走向白色的餐盘觅食。

"啊，佛朗哥将军。"安东尼娅微笑地叫着，伸出手不让公鸡走近食物，"在这个农场，它认为自己是领袖，所以喜欢制造噪声，四处炫耀卖弄。不过，它确实是个小绅士。"

"小绅士，一点也没用。"老玛丽亚嘲弄地用手轻轻地向后一弹，把它赶下桌子，"上一次，它耍了个心眼，叼了一口面包，然后在盘子上拉了一泡屎，跳下去，刚好骑在我前面一只小母鸡身上。真是绅士极了。"

"妈，别说得那样难听。"安东尼娅尴尬地为小绅士辩护。

"不，不，不，"她妈妈继续发怒道，"管它是不是佛朗哥将军，只要落在我手上，还不是要伸长脖子。下次它再跳到桌子上，我就把它丢到锅里煮了。"

豪梅心满意足地坐在那里，喝着他的红酒，嚼着橄榄油面包，脸上洋溢着祥和的笑容，肚腩在裤子与羊毛衫之间咄咄逼人地凸显出来。

"豪梅，"我开始觉得那香醇的八二年产的红酒已经扩散到我的血液里了，"我没有去过你那五星级、超豪华的索恩维达大酒店。不过如果它的环境、食物和酒像这里的一样，我会在我的书里将它列为最好的酒店之一。"

"佩德罗，"豪梅谦虚地笑着，"你人真好，真仁慈。"他又为我倒了一杯酒，尽管这一次就没有那么优雅了。

我发现艾莉和安东尼娅能够和睦相处，非常开心。虽然她们母语不同，但没有构成什么障碍，甚至老玛丽亚延时回答的困难都没有拖缓她们对话的语速。

"佩德罗，至于那台拖拉机，"豪梅转身背对正在聊天的女士，慢条斯理地对我说，然后举起食指敲着鼻翼，神秘地向我使了一个眼色，"我想我知道哪里可以买到我这个牌子的拖拉机，巴维里牌，价钱很合适。"

"真的？"

"真的。你知道胡安·胡安的小工厂吗，安德拉奇的那个木匠？"

"不知道。"

"好。那里很好找，在百货市场和阿根廷电影院中间那条路的拐角处。你会看到一家小店门外堆满等待修理的百叶窗。"

"是吗？"

"真的。而且我听说，他最近新买了一台巴维里牌的拖拉机，不过据说不太适合山上的农庄使用。"

"不适合？"

"嗯，那里太陡了，不适合二轮驱动的。他现在想买一台四轮驱动、有座位的拖拉机。"豪梅高兴地笑了出来，"不过，我想他是想要那个座位。"

"很好，很好，豪梅，这真是好消息。我也要找个木工帮我修理一下百叶窗，所以我会赶快去找胡安·胡安先生，来个一石二鸟。"

"什么？一石二鸟？什么一石二鸟？"豪梅完全被我弄晕了。

"豪梅，那不重要，那只是句英国俗话。"我觉得改变话题比费心解释更容易，"豪梅，我看到你栅栏里养了一些羊。羊对果园有用吗？"

豪梅举起他的手臂，"有用？"他的手臂擎得高高的，"不，不是很有用。养羊比种柠檬有趣多了。"他放松肩膀，然后又喝了一口酒，"我们常常会在餐桌上准备羊肉。"最后一口橄榄油面包被消灭掉，他慢慢地舔掉橄榄油和西红柿汁，故意大声地把每只手指头都舔干净，"太美味了！"

"真的，豪梅，真的很美味。我已经说过好多次，我真的无法相信这东西会这么好吃。"

"嗯，佩德罗，生命中有很多美好的事物，我们只要稍微加工大自然给予我们的就好。"他透过眼镜看着我，又轻轻敲着他的鼻翼，"关键在于如何加工，对不对？"他把剩下的酒倒进我们的杯子里。"佩德罗，拿这个红酒来说，好酒，全部都是天然的，当然，还要有我这位专家，我的魔法，神奇的技术……"

"对了，豪梅，对……对的。"我迟疑着回答。大中午喝了将近半升惊人的八二年红酒，现在我脑袋和舌头的情况可想而知。

"啊，佩德罗，酒这份礼物……酒这份礼物。"豪梅又喝了一口，"我种葡萄，葡萄从土壤里吸收水分，再借由这些养分结成果实。然后这些葡萄……嗯，我在说什么？对了，然后太阳使葡萄成熟。嗯，我采收葡萄，榨成汁，然后就成了！这份礼物，酒这份神奇的礼物。"他拿着酒杯朝上，赞美自己成功地参与了大自然的神奇冒险。

一块硬皮面包击中了他的头部，正好打断他的幻想，眼镜歪了，酿酒大师的想象已经无法确切描述。飞弹是桌子对面的老玛丽亚射过来的，她精确的投掷大概只是想要建议她女婿不要偏离主题。

"羊对果园当然有用。"她对着她衣着不整的女婿大声嚷，"为什么不告诉这位先生，在犁田之前，可以先赶羊去吃草？我的妈呀，他现在就可以找些羊去他果园工作。"接着玛丽亚就加入她们女人的对话了，尽管落后了一个话题。

"啊，是……对的，完全正确，佩德罗。"豪梅有一点慌张，支支吾吾地推了一下眼镜，"我正打算告诉你，但是……酒……酒。嗯，我必须先把酒解释清楚。不过，当然，我妈是对的。"

我闭上一只眼睛，努力地集中注意力。

豪梅不安地调整了一下他想象中的蝶形领结："你知道老佩普？你们家巷子另一头的邻居？"

"嗯，我在那附近看到过他，不过，还没有正式见面。"

"反正佩普有很多羊，他有一大群羊，山谷里最大的一群羊。我想他有，哦，大概二十五只母羊，也许二十六只，他也有小羊。老佩普常为他的羊寻找新鲜牧草。你知道吗？

他在山谷附近的果园放牧。"

"哦，我常常听到羊铃声。那就是他的羊吗？"

"是的，八成是吧。在黑暗中，只要听到铃铛声，他就知道他的羊在哪里。很多人都非常乐意在犁地之前，先请他家的羊来吃草。没有谁家的羊比佩普多。事实上，大多数的农场都没有养羊。"

"所以，佩普可以带他家的羊来吃我们的杂草？"

"对，如果你邀请他的话。你只要他把羊运到你家果园就可以了。这很简单。"豪梅的表情变得有点严肃，"不过，佩德罗，我必须告诉你，禁止在河边或有水井的田地放牧。"

"不可以？为什么不可以？到处都是杂草，长满了野生苜蓿。"

豪梅皱着眉，摇着头。"不可以，不可以，佩德罗，那不是苜蓿。那是一种香草，闻起来有一点酸味。等它开花时，花是黄色的，所以，它不是苜蓿。如果羊吃太多的话，"他看了一下身旁的女士，小声地告诉我，"它就会消化不良。"

"豪梅，感谢你的忠告，非常感谢。我记得这花叫玛丽亚草。"

"佩德罗，没关系，反正老佩佩会教你怎么做。"

这时，女士们离开桌子，站在太阳底下，三个人抱在一起道别。

我站起来，转身想向豪梅道别，并真心感谢他的热情招待和耐心忠告；不过，他好像睡着了一样低垂着脑袋，下巴贴到胸口，眼镜散了架一般挂在鼻头，羊毛衫贴在肚皮上。扣子最后还是不可避免地崩掉了，躺在他朝上的手掌里。

我只好转身向他家的女士道别，和艾莉沿着柠檬树下满是灰尘烂泥的小路往家的方向走。艾莉带着一篮新鲜的鸡蛋，而我带着满脑袋手拿风钻的小人儿。

"艾莉，"我说道，"我知道得花一点时间……有些时候确实很令人痛苦，但我想我在努力学习如何放松下来。"

"是的，亲爱的。下一堂课叫作放松，是回家吱哇乱叫地上床睡第一个单纯的午觉。我想老豪梅教了你为什么这些东西在这里如此重要。"

"绝对正确，艾莉。今天我还从老豪梅身上学到了太多其他的东西……拖拉机，水果商，佩佩·苏沃……绵羊和其他一切。我现在放松多了。"

"是的，是的，亲爱的。跟他私人午餐聚餐前喝的开胃酒没什么关系。我确定。"

没有回应。

"先生！不要忘记！"老玛丽亚的尖声如同穿过了管道，从我们后方的小农庄传过来，"不要让绵羊吃那些玛丽亚草。它们会让羊儿抽风！还会放不了屁！"

这真是一个令人难忘的早上，我学到很多。

— 5 —

一条名字叫狗的狗

"听众朋友大家好，圣诞节快乐！这里是特快节目 FM106.1，我们在帕尔马中心市区安迪纳三波段广播室为您广播。各位早安。我们是西班牙历史最悠久的英文广播电台，从世界最美丽的阳光之都——马略卡的帕尔马，向您表示问候。"

艾莉的头在门缝里晃来晃去。"看，我真抱歉。我必须把收音机关掉。我要去给机场打个电话，问问孩子们今天上午的航班会不会准时到！"

"噢，真抱歉。我真给忘了，还准备听新闻过后的《善良的老年人》节目呢。见鬼！什么东西烧煳了？"

"啊，是那天费雷尔先生留下来的狗粮。我刚从冰箱拿出来，正搁在锅里煮呢，是给罗宾和玛丽昂吃的。"

"到底是什么玩意儿？怎么闻起来一股獾屁股味儿！"

"噢，狗粮是用一公斤糟米拌成的。这是他们以前喂的狗粮，不是饼干，也不是肉干。就是这么个味道。"

"艾莉，那糟米肯定捂了多年已完全变质，才会有这种味道。"

"这味道应该是弗朗西斯卡带来的另一种原料。这没什么的……很新鲜……真的没什么。她说他们一直拿这个做东西给猫猫狗狗吃。"

"噢，艾莉，告诉我，还有什么别的原料？算了，不用麻烦了。我自己去看看。"

我进了厨房。令人恶心的味道弄得我就要窒息。我一手捂着鼻子，小心翼翼地揭开锅盖，甩手就砸在了地上。我从未见过这样的场面，一只活鸡正在热气腾腾的锅里瞪着我。

"耶稣基督啊！艾莉！你这是煮的什么？怎么会有一只鸡？它还在动呢！不对，还有一只！啊？有三只呢！"

"别紧张。放松啊，那不是鸡，不是。不过是些鸡头和鸡爪。在米汤里浮浮沉沉。明白了？"

"只是鸡头和鸡爪？艾莉，你疯了！你在这里煮了一锅《麦克白》里才有的女巫鸡汤给我。这臭味能迷翻一百码以外的大象。你还说只是鸡头跟鸡爪呢！"

"噢，不是我的错。这是费雷尔先生送来的。盛在那个篮子里的。还记得吗？当时我都没来得及看清楚里面是什么就把它存到冰箱里了，今天早晨才……"

"但是你看看！"我拽着她的胳膊，把她拖到热气腾腾的锅边，"鸡头带着血还粘着羽毛。鸡冠、鸡脖子、鸡喙和鸡眼上也粘得全是。鸡小腿上还有个塑料环。在家里煮这些东西，你不是开玩笑吧？"

艾莉看着地板，沮丧地摇着头。"我知道。我承认这是有点不正常。但这只不过是给狗吃的玩意儿！再说了，我能做什么呢？难道把它拿回去，然后告诉她说，我不想要这玩意儿？对吧？"

"就得这么做！"

"不行。我很抱歉。我不能这样做。"艾莉断然地摇头。

"为什么不？你总得拿出点理由。"

"这样会得罪费雷尔太太。这就是原因。平心而论，我之前跟她提起她的狗不能在这里过夜，我觉得自己挺残忍的。而且，她给我们狗粮是因为她单纯认为这是她的责任。她也没有让我们自己掏腰包。实事求是嘛，她不可能知道我们讨厌煮鸡骨头的味道的。"

"不喜欢煮鸡骨头的味道？我说艾莉，这正是以前的农民在自家院子里安置一口锅的原因。谁也不会在厨房里煮这些垃圾，然后把整个屋子搞得臭气熏天！"

"有道理，'无所不知'先生。只是我们家的院子里并没有锅，我才得在厨房里做。不是吗？"

"是，艾莉。我知道你是个大好人。但我不是，这是第一次，也是最后一次。我不允许她的狗整夜在厨房里爬来爬去，就算不这么臭气熏天也不行！"

"也是。不过请不要认为我就喜欢这味道。我只是觉得你忘记了最重要的一件事情。"艾莉看着窗外费雷尔先生的小木屋，"他们要来过圣诞节。我打赌到时候弗朗西斯卡一定还会带同样一筐食品来看她的宠物。"

"没问题。那就只剩一个办法了。不是吗？"

"彼得，你不能乱来！"艾莉显得很惊慌，"你不要惹她。你还记得你自己说过'入乡随俗'吗？他们就是来喂宠物的，如果你给他们连你自己都嫌弃的坏印象，那岂不是……"

"我知道，艾莉。不要再多说了。你的情绪我可以体会，但这确实是你要坚定立场的时刻。而且一定要坚决！不管有没有惹到他们。这还只是其一。"

"你不能这样去伤害他们的感情啊！"

"不，我能，我也一定会去做的。首先，我们被逼忍耐狗屎，现在她指望我们忍耐臭味冲天的厨房。这不行，艾莉，这绝对不行！你去给机场打电话。我去找费雷尔先生评理，让他们知道我的看法。"

圣诞节前的帕尔马一如往常地混乱。法国空中交通管制人员在旺季还是爱骂人，宽敞广阔的出入境大厅里面挤满了无辜的牺牲者：数目众多的度假家庭，哭啼的小孩和他们火气腾腾的父母挤在一起，如同难民营。旅途愉快！我且送上衷心的祝福。

艾莉和我疯狂地咒骂法国人。我们走进国内出发大厅候机室的小酒吧里坐下歇息，这是给国内旅客休息用的，也是整座候机楼里唯一能躲开喧闹人群的地方。我们找了个僻静的角落，静静地喝咖啡、吃东西。

"你是怎么和费雷尔他们理论的？"艾莉问我，"你还没告诉我呢，他们家的狗粮那么臭，你跟他们说了以后，他们什么反应？"

"说什么？没有什么可说的。我说过了，就是要坚定。理智的人总能稳妥应对。当然，方法得是公平合理的。"

"噢。是吗？"

"当然。没有什么可怕的，你也不用再看到费雷尔女士的那些鸡脖鸡爪了。从现在开始，她只能带糙米来。"

"那些糙米够什么呢？我想问问谁去给她的狗买其余的吃的呢？"

"看！那是乔克·彭斯。我正在找的人。"

"等一下好吗？弗朗西斯卡真让我们去买——"

"乔克，来一下！借一步说话！"

乔克是从苏格兰来的，我们算是同乡，只是他已经是马略卡的老居民了。白天，他在当地一间学校任教，生活平静、安稳，受人尊敬。他喜欢美食，平时偶尔喝一点儿酒，是个喜欢享受的人；到了晚上，他就在一家旅游宾馆里面做演员。在很多方面，他非同凡人。然而，乔克心地善良，经常以自己的方式给我们无私的帮助。

我碰了一下艾莉的手。"抱歉，打断你的话。还有不到十天查理就要在这里上学了。有些事情我得跟乔克商量商量。"

乔克表情夸张地走进来。

"幸会！佩德罗！"他叫着我的名字，然后大摇大摆地在桌子间走了进来，一件稍显轻浮的红黄相间格子衫搭在肩膀上，脚步摇曳，一副电影制片人的派头。他操着一口中大西洋口音[1]，慢吞吞拉长了调子，问候着途中不认识、显然也很困惑的顾客。他在艾莉面前停下，张开了双臂。

"我的天！可爱的夫人！"他声情并茂，"你可真漂亮！如果你要离开彼得，我就是你的了！"艾莉把头甩向一边，乔克就转向我，拍了拍我的脸。

"彼得，我的好兄弟！"他把声音提高了好几分贝，"好莱坞的事情怎样了？克林特有没有把我的信传给你？"

好莱坞能和我有什么关系，但他觉得这不重要。乔克颇具戏剧性地找了把椅子坐在我旁边，两只手悬在椅子靠背上，若无其事地看着四周，寻找那些可能崇拜他的客户资源。一

1　该口音在发音和用词上混合使用美国英语和英国英语。

个也没有。

"一群不知趣的家伙！"他嘟囔着，恢复了他浓重的苏格兰口音。

我清了清嗓子，说："乔克，我正要打电话给你呢。我的儿子进你推荐的学校之前，我还有几件事要拜托你。"

"放心吧，全部的事情我都会处理好。新学期开学你只要带着孩子来缴学费就好了。顺便告诉你，我会商量一个好价钱给你。便宜一些。"他轻轻挤了下眼，"想办法帮你省点钱，知道吗？"

"啊，十二万分感谢！乔克，你真是好心肠。"我边笑边拍了拍他的肩膀，"来，我请你喝杯酒。"

"算了，我心领了。我得去接伦敦来的航班。朋友帮我带了一个新键盘来，是最流行的款式。质量很好，但只需半价。你知道吗？"他扬起眉毛压低声音，贴近我的耳边说，"也没有收据。不过，我跟我的西班牙海关朋友说了，他们会睁一只眼闭一只眼的。"

"我们也得走了。"艾莉焦急地望着航班抵达的彩屏，"你看，孩子们的航班准时到达了。"

"你可真激动啊。"乔克笑着说，"想死你的小家伙了？"

"他们已经不是小家伙了。"站起身时，我说，"森迪就要十九岁了，查理十二岁多了，就要十三岁了。"

"在我看来，他们还是孩子。"艾莉坦白，"而且是真的，乔克，我很想他们，我必须承认。"

"呵呵，不用多久，你们就能团圆啦。"乔克笑道，"多么伟大的苏格兰情感，多么澎湃的场景！"

"我差一点忘记了。"我轻推了下乔克的胳膊肘，一边穿过拥挤的人群，走到"国际入境"牌子下站好，"当然还有学校的日常规定，要问仔细了。比如，查理该穿什么衣服？其次——"

"第一个问题的答案很清楚：牛仔装，运动鞋。其他的呢，等到一切安排好了再提吧。这里是马略卡。别那么紧张，我的意思你明白？"

接着，乔克就向大厅另一边根本不存在的朋友打了个美式招呼，等到不少人开始停下来望着他的时候，他才很高兴地摆着架子走过去，红黄相间的格子衫十分刺眼。

艾莉跟我默默地向拥堵的国际航班到达处缓慢移动。

"嗨！妈妈！爸爸！"后面传来一阵熟悉的声音，"还以为你们不来接我们了呢！我们进来好一阵子了。"

"森迪！查理！"艾莉尖叫着去抱她的两个宝贝儿子，她过度的热情让两个青春期少男感到有些别扭，"你们不知道我有多想你们！"

"我们知道，知道了。妈妈。"森迪说着，"不过，我可是半毛钱都没有了。"

"我也是啊，妈妈。"他弟弟拍了下空荡荡的口袋，跟着说。

"是啊，你们登机前就花光了钱包。坏东西。我叫你们离机场的电脑游戏远一点，你们就是不听！"

"好了，好了，小伙子们。"我打断了他们的话，"这本该是个友好的季节，所以——"

"嗨！朋友，放松点！我说，放轻松。"又是乔克·彭斯，依旧是他那口中大西洋口音。他正奋力拽着一只旅行包往前走。"噢，你们是苏格兰来的外交官？"

"嗨，乔克。"孩子们同时叫道，笑着和这位马略卡年纪最大的青少年握了握手。

"对了，乔克，"森迪面带喜色，"我们来这儿就是想见识见识传统斗牛场。"

"没问题。不过，孩子们，问题是你们来了，我怕你们把斗牛士给吓出屎来。"乔克终于有机会一展他的喜剧天分了。

"无论怎样，我还是恭喜你的新键盘通过了海关。"我又指了指他的旅行箱。

"小事一桩，兄弟。唯一的难点，就是要懂得如何跟那些老家伙打交道。对了，这可是岛上的生存规则。"乔克透露。我们一走出自动门，他就恢复到苏格兰腔。长途巴士在闹哄哄的行李区穿进穿出。"不过，你是外国人，这一点一定要谨记，保持低姿态。"他对我使了个神秘的眼色，"明白吧？"

"是的，我会记得的，乔克。哦，还有件事。我希望放假能与梅格见见面。我们想和你们聚聚。"

"别担心，伙计。我们很高兴能在圣诞节和你们吃顿饭，喝一小杯，没有问题的。"

我们握手、拥抱和问安之后，乔克离开了，还是一如既往地夸张，高呼"节日快乐"，风一样地消失，一整排静静停靠在街边的巴士上，乘客都好奇地看了过来。

刚到时，孩子们对一切都感到新鲜。我们的新家如同一幅画，慢慢在他们眼前展开。"市长府邸"的大门静静立在午后阳光里，院子里棕榈树那充满异域风情的影子在白墙上洒下淡蓝色印迹。除了最近常来的知更鸟在巨型橡胶树上叽叽喳喳宣示着自己的势力范围不得入侵以外，远近的山谷里一片安宁。艾莉说，那鸟儿在为我们传圣诞节的福音。

森迪和查理关上车门，安安静静地观察四周的景象。记得我跟艾莉刚到这里时，望着重峦叠嶂的特拉蒙塔纳群山，想象着闲适的山居日子，那股肃然的敬意重新在心底升上来。我给孩子们一些时间去享受周遭的一切，细细品味那对他们而言消逝已久的田园风光。过了一会儿，我问："好了，儿子们，感觉舒服吗？还不错吧？"

查理皱着眉头，看着苍远的山，轻轻摸了下头："山峰会影响电视信号。还有，草地呢？没有草地怎么踢足球？"

"你就是这样，总是想着你自己。"哥哥开始责怪弟弟，然后转向我，露出体贴的微笑："爸，您也别担心。一切都很好，环境美得很。只是我有一件事不太明白。田那么小，我们怎么工作？对我而言，这么小的地方，一台像样的拖拉机掉头都掉不了。而且，树长得那么低矮，拖拉机怎么过得去？"

"哦，森迪，那是另一回事了。"我叹着气说。

他们两个歪着脑袋久久看着我，等我给出一个合理的回答。我该怎样心平气和地告诉他俩，苏格兰的家当还没有运抵之前，我们甚至连电视都看不了，马略卡这里的果园基本上都没有草皮，也没有什么"像样的"拖拉机，要找到一台符合这样描述的东西，同样不可能？

艾莉前来解救我，高兴地说："孩子们，跟我来。把你们的行李搬到屋里，看看你们的房间。"

"对，好主意。"我赶忙插了一句，"四处溜达溜达也好。回来的路上，我看到老佩普正在巷子那头他的农场上干活儿，我应该把握机会自我介绍一下。不管怎样，我都要问他可不可以请他带羊到我们家来吃草。"

当我走进那昏暗混乱的小院时，老佩普正交叉着腿靠在驴车的大木轮上，用手卷一支烟，然后将烟叼在嘴上。点上烟后，火星到处飘，宛若一个即将炸开的爆竹。

这是我第一次靠老佩普这么近。他身形精瘦，实际年龄估计比远看时要大得多。小小的黑色贝雷帽遮住目光，将脸色映衬得黝黑。远了看，连汗珠也是黑的。他那熠熠闪光的古铜色皮肤如同焗过油的皮革，满是皱纹的脸笑起来，露出一口常年吸烟熏成的咖啡色烂牙，牙缝间夹带食物残渣，唤起我儿时在祖父母农庄上生活的回忆。我隐隐约约记得当时农庄里发生过一场大火，火是从牛粪堆上烧起来的。

老佩普的鞋跟几乎快磨平了，灰色的裤子满是补丁，膝盖处更加没法看，裤脚也都磨破了。不过，那一身美式短夹克把他衬得气宇轩昂，无论皮料磨成了什么样，而且他竟然在脖子上拴了一条红领带。我想老佩普是在突出他那马略卡农夫的风格吧。他确实与众不同。

"你好。"他以一种低八度的声音深沉地开腔。声音如此有磁性又沙哑，一定是因为常年抽烟。"日子过得还好？"

多么美妙的一句话，我想。日子过得还好？这句话我得记下来。

我们互相轻松地寒暄着，我接着向他说明我是谁，从哪里来，不过我觉得不管怎么样，他已经知道了所有细节。他继续斜靠着驴车轮子，听我讲我的故事，一边听，一边用一只眼睛斜着看我，拇指插在腰带里，燃着的烟上，那只眼一直紧闭。他看似一副满不在乎的样子，但我敢肯定他心里正在细细打量我。

我做了简短的自我介绍之后，他沉默地盯着我的脸，半晌没说话。这种突然的平静让我感觉不太舒服。这种紧张感很快因为他的一阵猛烈咳嗽而暂时缓解，一串火星从他外衣前面滑落。不过，老佩普是不在意的，他只是继续用有磁性的低沉声音陈述：没问题，没问题。他再次跷起二郎腿，继续打量我，这次终于用了一双眼睛。

要和老佩普搞好关系不是一件容易的事，我这样想。"那是你的狗？是条猛犬！"我假装兴致盎然，朝着他那破旧的农场大门口外一个一动不动、黑黝黝的家伙点点头，它正在太阳底下躺着。

佩普的眼睛终于开始放光了。我打动了他。他对称赞他动物的朋友总会善意对待。门外睡得正酣的大狗是他的家犬。那条狗才不会怕这怕那，因为它对当地的环境几乎了如指掌。它是马略卡非常知名的狗。在当地，这已经是绝顶聪明的动物了，有着无与伦比的灵敏度和难以匹敌的勇敢。"你看它那个头！"老人满怀深情地说道，"多么优秀，一看就知道是良种狗！"佩普清了清喉咙，开始吹着口哨呼唤："佩罗！嗨，佩罗！"

狗一动不动。

"佩罗？这名字有些特别啊！你叫它狗[1]？它本来不就是一条狗吗？"我小心谨慎地暗示说。

"特别？当然不。我还有几条狗，都叫佩罗。这样多简

---

1 "佩罗"的西班牙语原文 Perro 的意思就是"狗"。

单。特别？狗屁！佩罗！"他又叫了几声，然后把卷烟从嘴里抽出来。"佩罗啊！"依然没有一点动静。

佩普弯下腰，捡了一根结实的树枝扔过去。树枝结结实实打在狗头上，然后掉在地上，狗赶苍蝇似的动了下耳朵，然后舔了舔舌头继续睡大觉。

老佩普解释道，这条狗还很小，才八个月大，还需要时间训练。不过，我可不能被它这副懒散傲慢的睡态所诱骗，这家伙中午吃了三只鸽子。"婊子养的！它径直就进了鸟笼。"老佩普嘀咕着，几乎听不见。

"它确实与众不同。"我违心地继续拍着狗的马屁，尽力掩饰老佩普因唤不动看家狗而可能感受到的困窘。

不过，佩普不需要我来增强他的信心。"你要记住我说的话。"他义愤填膺，"这些狗对陌生人很不友好。你可以想象，它能咬死人的。你一定要小心这种狗。"我感觉我已经被诅咒了。

"谢谢，佩普先生。我会铭记在心。"

我该告诉他我到这里来的原因。但我还是不够坦率和直接。唉，不该这样。

我想请他的羊到我家吃草，这个老家伙早就猜到了。"没有问题！绝对没有问题！"一切都没有问题。他的羊又生了几头羔羊，所以，以防万一，他只在房子附近放牧。外面路也不好走，佩普也不舍得赶羊出去。是的，如果草地在农庄附近，会很方便的。

"太感谢了，佩普。那我农庄的门就为你敞开了。"

不过，还是有点小问题，他告诉我说。果园里有一口水井，要先去平整那块地，才能放牧。玛丽亚草太多，羊吃了会胀气。他适时地放了一个响屁来支持自己。"了解？"

我忍俊不禁。真有这个老家伙的！粗鲁顽皮，不过挺讨喜的。

"你可以笑。"他粗鲁地说，他以为我在嘲笑他，"如果你是只羊，你就不会觉得这样有什么好笑！一肚子玛丽亚草……哇！"他把贝雷帽扔向空中，"爆炸啦！"

我虽然不是有意的，但必须道歉，并再次强调我不是故意的，并告诉他包萨太太曾告诉我，羊吃了那种草会没命的。他告诉我的虽然有些不同，但基本一致。

老佩普装作没有听见。他把烟蒂吐在地上，用脚踩着，然后把手伸进口袋。

"你也来一支？"他在诱惑我。他拿出一个装着烟纸的锡盒，还有一堆黑黢黢的烟丝，看起来如同清挖河道淤泥时捞出来的东西。

"不用了……不用了，感谢。"我婉拒了，表示我几年前就已戒烟。

老佩普感到困惑，那又怎样？即便戒了，我怎么会不要这么好的东西？

他把食指和拇指伸进盒子里，捏出一块烟草片，放在我的鼻翼附近。"年轻人，你闻闻。"我顺从地闻了一下。跟他说这烟草的味道实在诱人时，我并没有说谎。这东西味道很好，有些甜，很重很刺鼻，但确实很好。我觉得非常惊奇，可当他将烟叶卷起来点上时，味道就开始变得酸臭。老佩普每天早上都需要嚼一口生蒜来清嘴巴。我放弃了。我不抽，还是很感谢。

显然，他对我拒绝他的慷慨感到失望，继续斜靠着驴车，给自己又卷了一支。

我知不知道自己拒绝了什么？他细致地卷着烟，眼睛都懒得抬一下。我难道不能从这香味中判断出这是真正的哈瓦那烟草？

他舔了下纸，细心团成圆筒状，舔了一下，粘住，然后放到了嘴里。

我要说什么呢？说我不知道哈瓦那在哪里吗？

"噢，对，古巴。"我胆怯地说着，"我知道最有名的雪茄在哈瓦——"

"是的，我去过那里。"他打断了我的话。他用拇指指甲划擦了火柴，点燃卷烟，从离脸不到三英寸的焰火表演后面，眼睛不眨地望着我。他吸了一口，一阵轻微的鼾声从他鼻子里响起。虽然他认为自己假装得很好，没有要咳嗽的样子，不过，从他突然布满血丝的眼睛，以及前额像蚯蚓一样的静脉就能看出，他的肺觉得这真正的哈瓦那烟草不过是些老菜叶子。

"有一次，"他急忙提高声音说，"为了赚钱，许多安德拉奇男人去古巴深海采海绵。"他深深地吸了一口新鲜的空气，"不过，有些人就再没有回马略卡。他们的太太留在这里，他们就没再回来过。你明白吗？"

"是的，我知道。不过他们为什么不回家？古巴卡斯特罗政权阻止他们回来？"

"卡斯特罗？卡斯特罗？和卡斯特罗一点关系都没有。先生，他们只是不想回到老婆身边。"老佩普把烟从嘴里拿出来，如梦初醒地看着它，"不过，我回来了。啊，我回来三年后，遇到了我老婆。我跟我老婆在安德拉奇结的婚。"他深深地叹了口气，"我现在还有什么好展示的呢？我的烟哪……只有我的烟。"

"哦，非常抱歉，我不知道您失去了夫人……所以，请——"

"这可是名副其实的哈瓦那烟草，"老佩普插了一句，"可以轻易得到，让我长久幸福。老婆哪能这样？你给我一个这样的老婆。"他把烟填回嘴里，敏锐地斜眼看着我。

"哇，竟然用这种方法来比喻。哈瓦那烟草，怎么能够免费得到？我不明白要怎么样才能……"

"哎呀！啊，这个确实不用花钱。"他不耐烦地告诉我，他自己种的，就是这样。几年前，他从古巴回来，靠走私运了一些烟草种子回马略卡。那是非法的，很危险。如果被发现，他会被佛朗哥抓进监狱。不管怎样，他把它们全种了，他非常小心、不厌其烦地照看这些烟草，但只存活了两株。然而，就是靠着这两株烟草，现在屋子后面，整个农场繁殖了五十株，遍地覆盖着哈瓦那烟草。

"五十株，是吗？那些是够你抽的。不过，你怎么救活的那些烟草？你怎么做的？"我假装很有兴趣地问他。

一阵充满磁性的笑声从他那宽实的胸膛发出来。他在我面前慢慢地挥动着食指。显然，我不该指望他能透露这么宝贵的信息给我，他嘲弄我道。这是个秘密，他是跟一位年纪很大的古巴黑人学的，而且就在这个黑人过世前。需求越来越大，他们说。很糟糕。很多人斥巨资想要配方，而老佩普是决不肯透露半点风声的。出多少钱都不行。这个秘密将随着他一起入土。

是的，而且那一天可能不会太远了，当我看着老佩普从鼻孔喷出难闻的烟圈，就想，保密对他而言可能是一个比较自私的做法，然而对下一代马略卡人的健康，也可能是非常大的贡献。

老佩普靠近我，用粗哑的声音对我说："马略卡有很多人想种哈瓦那烟草，他们总想来偷。先生，他们以前试了好多次，这就是我养猛犬的真实原因。"他佩服地看着狗，它的腿轻轻抖着，仿佛在梦里还在追赶偷烟草的人。

一阵旋风从特拉蒙塔纳山呼啸而下。风穿过山坡上的低矮松林，突如其来地冲进院子，卷起院子里的灰尘及草秆。一下子，又恢复到原来的平静。

老佩普望着北方的天空，如同先知一般宣告："啊，真是的，天气要变了。今天晚上会变冷。真的，天气变坏了。"他吐了一口烟，烟灰长长地飘荡起来，抗拒着地心引力。他冷冷地看了一眼我的"市长府邸"。"你有木柴吗？"

"呃，哎呀，也许有一些木头。"我说，很是吃惊，"费雷尔先生好像留了一些给我们。"

"哦！那么你一定搞错了。你们来之前，我看到费雷尔推着手推车把你们那边的木柴运到他们的小木屋去了。从他那里，你拿不到任何东西，什么东西都没有。如果你们家失火了，那个费雷尔一准连泡尿都不肯给你撒。"

所以，不管费雷尔家在安德拉奇地区多么受敬重，显然他们的声望在山谷人家的眼里低得可怜。

"那我……我最好赶快订一些木柴。"我冷淡地说，不希望掺和到老佩普和托马斯·费雷尔的恩怨当中。

"订木柴？"老佩普摇着头，"不可能，锯木厂假日休息。一直到下礼拜，你都买不到木柴。"他又吸了一口纯正的哈瓦那香烟，香烟末端发出窸窣的爆裂声，燃起一道刺眼的红光。"先生，你可能会度过一个十分寒冷的圣诞节。"

撞上这种事，我能做什么呢？我又开始觉得自己像个外国疯子了。

"好的，"老佩普对着落日的方向点了个头，"我得进去了，在变冷之前先把柴火点起来，让屋子暖和点。圣诞节要到了。"他急得连声"再见"都没有跟我说。

这马略卡人真是让人讨厌！我看着他走进屋里，心里直打鼓。真是不幸，他不仅指出我没有木柴，还在我面前反复提买不到木柴的原因，让我感觉很丢人。佩普抖动着肩膀，我听到了好像是窃笑声，他也许只是忍不住想咳出喉咙中的黏液，不过，我真的听见有人在笑。一定是这样没错，这个下流的王八蛋一定正开怀地耻笑我悲惨的命运。

他走回来，眼光飞来飞去。"啊，你的脸怎么了？"他一手捂着胸口，一手指着我大笑出来，"我的妈呀，你这是怎么了？"

我只能像个傻瓜一样，站在那里目瞪口呆，等他笑完。我会的西班牙语脏话不够多，无法把自己想骂的话表达出来。

"喂，你真的以为我是大混蛋？"他终于气喘吁吁地用袖子擦眼睛，然后不断狂咳，"朋友，别忘了，我不是托马斯·费雷尔，对不对！"他走向我，双手抱着我把我推向大门。"你看巷口那里了。我放了一堆木柴给你，够你用到锯木厂开门营业了。你有两个儿子，我发现了，你最好叫他们在天黑前帮忙把木柴搬到屋子里。相信我，今天晚上会降温，寒潮会把山雀冻得掉下树来。"

我感动得几乎说不出话来。我试着想表达出乎我意料而又在对方意料之中的善良行为让我十分感激，然而他一点也不在意。

"老弟，邻居是用来做什么的？"他笑着说，"我虽然不是什么有钱人，不过我有多少就给你多少。如果你还需要，农庄里还有足够的木柴，所以，没问题的。"

他慢慢走回他的农舍，回头给了我一个约翰·韦恩般的骑士礼。"再见，朋友。祝你万事如意，你家的母鸡永远下双黄蛋。再见，圣诞快乐！"

"老佩普，你也圣诞快乐，真的非常感谢你。"

这种慷慨让我感到谦卑和愉悦，在他的声音再度响起时，我差不多已经走出他家院子，踏上回家的路了。

"佩罗啊——！"他突然紧张地高声喊着，"佩罗——！"

背后突然传来一阵快速的脚步声，当我转身回头，那条发育结实的黑色大狗突然向我飞扑过来。一切似乎都变成慢动作。狗张开大嘴，口水横流，我凝视着他嘴里那排该遭诅咒的白牙。它要攻击我的喉咙了！

我急忙转身，然而已经晚了，那只畜生的前脚扒到我胸前，把我扑到后面那堆木柴上。我摔了个四脚朝天。那条狗猛地冲了过来，把我按在地上，它那恶臭的口气喷在我脸上。

我听见老佩普远远地大嚷大叫。不过无济于事。这只动物已经失去控制了。它为所欲为，而我只能祈求老天爷赶快结束这一切。除此之外，最好不要太痛。我感到狗那湿湿的鼻子在我耳边哼着，我恐惧万分，只能干等在那里，等着它的牙齿撕开我的咽喉。

时间静止了几秒钟，感觉却像过了几个小时。老天开恩，无事发生。我感到它巨大的前脚掌搭在我的肩膀上，呼哧呼哧喘着气。什么也没有发生。我没有被咬死。我还活着。

我小心地张开一只眼睛，那条狗大叫了一声"汪!"，感谢它没有把我撕成碎片。它只是看着我的脸，又好奇地抬起头来看着另一边，舌头在嘴巴外面傻乎乎地来回晃着。

"佩罗?"我踌躇地叫了一声。

"汪!"

"好，佩罗。放轻松。你好乖，让我起来。乖孩子。"我用极为冷静的声音哄他。不过，狗无法控制自己太久，或者也许是我明白得太晚了，它根本就听不懂任何英文。它扑向前，开始用舌头狂舔我暴露在外的每个部位。它舔了我的眼睛、耳朵、鼻子、嘴巴、脖子。我放松下来，老佩普这条爱咆哮的大狗，不过是只温柔的大猫咪。

恐惧的感觉一消退，我就有些笑得上气不接下气了。佩罗不断地舔我，舔得我坐立不安，无法认真喘气，而且我怕痒。

"好了，佩罗，好了，"我喘着气，逗弄它那对又软又好玩的耳朵，"我会被你舔死的，你这个又大又软的家伙。"

不消几秒钟，我就发现，摸它的耳朵是个致命的错误。我突然感到大腿上有股暖流流下来，这种熟悉的感觉使我一下子就想起刚进入山谷不久，我被费雷尔太太用水管喷到裤管上的事。只不过这次感觉更加湿热。上帝啊！不，我祈求这不是真的！我看着狗叉开的后腿，证实了我的疑虑。这条身体瘦长、发育过度的傻狗兴奋地尿了出来。我整条裤管都被它的尿浸湿了。

一段结实的木块从我眼前嗖地划过，随后砰的一下砸到狗脑袋上，接着老佩普那满是灰尘的靴子飞快地踹到狗堂而皇之伸出的器官上。

狗痛得缩回了青春期发育的冲动，哀哀叫唤，又痛又惊地在我身上尿了最后一通，然后三条腿一瘸一拐慢慢地往家走去。现在它的舌头可以派上更好的用场了。

"朋友，我真的很抱歉，"佩普喘着气苦恼地说道，然后急忙把我扶了起来，"幸亏我把它及时赶走，你这才得以脱身。真不幸，我的狗竟然攻击你。不过呢，它只是做了它该做的事。"他把他那双友善的手放在我肩上，"朋友，它真的没有办法，天性使然。"

"我根本不担心它的什么天性，关键是这个混蛋竟然往我的牛仔裤上撒尿！"我用英文发着牢骚。

"对，"老佩普附和道，他根本听不懂我说的话，"它生来就是冠军，会咬死人的。"

我摇摇晃晃地走回家时，艾莉正在厨房切菜。

"你怎么了？"她问道，"是不是跌到水沟里了？"

"别提了。"

"我看你的裤子又湿了，这好像是到这里的习惯了，对不对？"

"艾莉，别提了，好不好？"

"你的味道还臭得很。天！太刺鼻了。你闻起来就像下水道。"

"艾莉，好了，你的意思我明白了。不过，别再说这个了，好不好？"

"这恐怕不是好预兆。这次你总得听我一句了，你得改改自己喝酒的毛病。你明白我的意思。你一回来，一身尿味儿。到底怎么了？你一定有什么不对头。这不太……"她停了下来，出奇地静，然后猛地把一根大个的胡萝卜切成两段，"……正常。"

"这和喝酒一点关系也没有，再说了，这也不是我的尿。"

艾莉停止切菜，上上下下地打量我。"难道你是说，哪匹马发毛了，抬起腿，把你的牛仔裤给尿湿了？"

"差不多。不过，即使我告诉你，你也不会信的。算了算了。我要去冲个澡。"

这时，厨房门突然打开了，孩子们匆匆闯了进来。

"我还是认为森迪的房间比我的好。"查理看来很不满意，"他的床也比我的大。"

"别发牢骚了，小屁孩。"他哥哥靠在他耳边说，"你有张床已经很幸运了，反正你通常也只是在上面尿尿。"他四处张望，鼻子用力地嗅，"哎呀，喂！说到尿，难道谁牵马进来过？"

"没错，是有问题！"查理也捏着鼻子道。然后，他注意到我腿上那条湿漉漉的牛仔裤，眼睛睁得大大的，如同潜藏在石头下被吓到的小鱼，完全呆住了。"哇，爸！原来是你，你尿裤子了！"他装出一副要呕吐的表情，"真恶心！"

"查理，你给我注意点！"我怒气冲冲地说，"如果你皮痒痒了，我可以帮你收拾收拾。"

我低头看着我那条发臭的牛仔裤，悲惨地说："反正不是我自己干的，这是老佩普的狗尿的。"

厨房突然鸦雀无声，所有人都茫然地望着我。

森迪第一个打破沉默。"爸，别介意，即使查理和妈不相信你，我还是相信你。不过，有件事——"

"什么事？"

"你怎么会让老佩普的狗穿你的牛仔裤？"

厨房里响起一片歇斯底里的笑声。

"好，你们尽管笑吧。"我装作心平气和，假装这是一件既无聊也无关紧要的事。"我一点都不介意成为你们的笑柄。我承担得起。不过，等你们笑完了，你们俩就一起去佩普家门口拿些木柴回来，我现在要去冲澡。"

"亲爱的，洗澡前，费雷尔女士有事让我转告你。"艾莉说得我心里发虚。

"哦，什么事？"

"你去老佩普那里时，她拿了这东西给你。"艾莉递给我一瓶盒装白兰地。

"很好，很好！这东西很贵！"

"嗯哼，她还拿了一些其他东西给我们。"她敲着桌上那罐弗朗西斯卡自制的杏仁饼干，"所以，现在你知道在我们家谁是最受费雷尔家青睐的人了。"

森迪低头抿嘴看着自己的脚，强忍心中的窃笑，你可以料想到查理也在偷着笑。

我决定保持沉默，因为我觉得自己又要被戏弄了。

"而她要我告诉你的是……"她非常疼爱地看着我，这眼神突然让我感到极度不安，"她说，她和托马斯都没有想到，今天早上你居然送了他们苏格兰威士忌和水果蛋糕。"

"噢，那个？我……只是……好吧，我必须……"

"而且，还有，她还由衷地感谢你善意的提议。"

"什么善意的提议？"

"你那些可以省掉他们给宠物买鸡头和鸡爪费用的善意提议啊！"

"噢？这不算什么善意提议吧？"

"当然算。她说我们非常幸运，能认识一位住在新帕尔马的英国人，肉店老板，非常友好，坚持要送我们很多免费的边角肉来喂养她的猫和狗，非常慷慨。免费的，我记得费雷尔女士是这么说的。"

"是的，这个办法听起来是不错——"

"是的，但是我们并不认识什么英国肉店老板，非常友善也好，或者其他什么也罢，住在新帕尔马或者这个岛上的其他任何地方。亲爱的，我们没有这样一个英国朋友吧?"艾莉在施加压力。

"没有，没有，不过，我想我们可以找一个。"我非常沮丧地嘟囔着。

"是啊，你当然可以，宝贝儿。"艾莉嘲讽地低声说，"你已经做得很棒了，我不该这么残忍地拖你的后腿的。"她拍拍我的头，在我的脸颊上亲了一下。

查理又装出一副想吐的样子。

"查理，不准这样。"我警告他。

"对!"艾莉非常坚决地说，"你们该为父亲感到骄傲。这次你们的父亲不但非常大胆地向费雷尔家提出了抗议，而且借机修复了我们家和费雷尔家的关系，一次性解决了我们定期煮死鸡的痛苦。这是你们老爸给你们上的一课。永远不要忘记父亲给你们的教诲……'有些时候你必须选择立场，有些时候你必须坚定不移。'"

"有些时候我们不得不给敌人送威士忌和水果蛋糕。"这是森迪的建议。

"那就是所谓的外交手腕，儿子，外交手腕。"我嘟囔着。

"不过，妈妈说，水果蛋糕本来是买给我们吃的。"查理抗议道，"那本来是我们家的圣诞蛋糕，而且那也是我最喜欢吃的。现在，那个什么费雷尔女士一定正在切蛋糕，而我们家却堆满了烂杏仁饼干。哪里是什么外交手腕。真傻！"

以防暴力冲突，森迪不失时机地拖着弟弟出门去搬老佩普的柴火了。

"别理他们。"艾莉安慰道，"水果蛋糕多得是。没关系，我们可以拿杏仁饼干来喂那些猫狗，等你找到那位神秘而善良的肉店老板，一切就都好了。"

我离开厨房，冲了个热水澡。

佩普预测得很准确。那天晚上，气温陡然下降，我们很高兴他及时送了我们一些木柴。

厨房里的壁炉间是个小房间，一块舒适的方形区域，建在角落里宽敞的壁炉周边，由高背的石头长椅围绕而成，既是面对炉火、有靠垫的舒适座位，又是抵御冬天入侵古老石板屋的冷风的有效屏障。我们用马略卡最传统的方式来点火，先点燃一小堆杏树枯枝，然后一点一点添大的枝条，等火点着后，再把老佩普送给我们的橄榄枝放上去烧。

壁炉上面是石灰涂料砌成的钟形烟囱，墙的另一面是乡间木制橱柜，里面放了些静物，如陶瓷罐子、水壶和盘子，艾莉还在中间放了些圣诞卡和冬青树枝。几天前，我们摆了一盆茂密的小松树在门口，加上一串仙气逼人的灯泡和零零落落的金属丝，便成了我们临时的圣诞树。

"好冷！我想我们最好把圣诞大餐搬到火炉边来吃。"艾莉说道，她把铁锅从支在火炉上的金属架移开，"我买了一些马略卡传统点心，你们可以自己动手烤来尝尝。"

她从篮子里拿出一些让人食欲大增、看了就流口水的糕点，搁在炉旁的炭火上烤。"这是今天我在安德拉奇的托尼面包店买的，都是刚烘焙出来的，我们再烤烤就好了。"

我们有马略卡肉馅饼，美味可口，由小羊肉、猪肉、香肠烤制而成。还有马略卡比萨饼，面包师用醒好的面团放进烤箱里烤成焦焦脆脆的薄片。旁边挂着的锅子里是第一次品尝就让艾莉赞不绝口的煲仔汤，这汤能让冬天变得温和，是用青豆、绿色菜叶和辛辣的马略卡黑布丁煮成的。这道地地道道的马略卡正统菜是老玛丽亚·包萨传授给艾莉的，包萨甚至连锅子也一起送给了艾莉，因为老人坚持煮菜的器具本身也是传统的一部分。

煲仔汤非常成功，孩子们都很喜欢吃。炉火在我们面前噼里啪啦地响，老佩普送我们的木材吐着火舌，呼呼的热气冲出了烟囱。艾莉又从篮子里拿了些栗子出来，丢进火堆里烤。烤架上那些香脆的糕点早已被我们抢食干净。我觉得还不尽兴，就趁他们不注意拿出一瓶康赛尔小城镇的名品葡萄酒，独自啜饮起来。

等孩子们睡下后，艾莉和我在炉边坐了一小会儿，望着炉中绚丽的火焰在灰烬上方舞动。外面偶尔吹进来的冷空气在与炉火的温差之下形成阵阵旋风。

"森迪和查理能在这里真好。"艾莉道。

"我们是多么幸福的家庭，对吧？"

"是啊。前段时间我很想他们，尽管他们常为一点小事争吵。毕竟有家人的地方才是家。"

"事情也可能更糟。"

"什么意思？"

"如果几年前我就知道茴香草、蜗牛和掺和着虫肉的橘子汁，咱们可能早就生了半打小混蛋来嘲笑今晚的肉饼大餐了。"

"该上床了，"艾莉打了个哈欠，"真是漫长的一天。"

"是啊，一离开火炉就觉得好冷。老佩普说得对，今晚真的会冷得把山雀冻掉下来。"

艾莉在楼梯上停了下来，她抓紧我的手臂。"嘘！你听，有人在外面！"

"算了吧！可能是弗朗西斯卡的那只猫在外面游荡。"

"不是，又来了，彼得，是男人的声音。鬼鬼祟祟的。"

"你想太多了。站在这里很冷的。我们到床上去吧！"

"不，你出去看看到底是什么东西，否则我睡不着。快一点，到阳台上去看看。"

"好吧，如果这样能让你满意。不过，我必须坦陈，你是在瞎想。"我心怀希望地说。

我谨慎地打开落地窗，然后把头伸到外面漆黑的夜幕里。

"哦……你看到什么了？"艾莉低声问，"外面有没有人？"

我点了点头，叫她出来，然后把手指放在嘴唇上，让她不要出声。"出来。"我轻声地叫她，"没事的，尽量小心点。"

艾莉抓住我的手，我可以感觉到她心跳得很快，她小心翼翼地走到阳台上。

"仔细听听。"我默默地对她说，"有没有听到呢？"

她发着抖，紧紧地握着我的手臂。"有一个声音……是男人的声音，后面还有一个低沉、毛骨悚然、呜呜咽咽的声音。好恐怖！我要回房间！"

"你静静地听。有没有听到其他声音？"

"有铃铛声，我听见铃铛声。"她缓缓地道，牵着我的手臂，移向阳台的栏杆，"哇！是羊。我看到了！它们在屋子前面的草地上吃草。你看，有羊在生小羊羔。"

"对。那是老佩普和他的羊群，"我轻声地说，"我们就静静地站在这里看一会儿，我想一定可以看到些特别的东西。"

寂静的夜。星空下，透明雾气穿过夜幕缓缓移动，山的形状清晰可辨。山谷静静地睡着了。我们看到老佩普靠在橄

马略卡之冬：雪球橘

榄树旁的身影，他憔悴的身子上罩了一条防寒的长毛毯，正温柔地对着羊儿说话。他看着它们，听着它们脖子上的铃声，轻轻地呼唤着可能走失的羊，就像几千年来所有的牧羊人一样。

艾莉和我久久无语。但我们彼此知道，我们的思绪已经不可阻挡地被拉进很久以前的某个夜晚、某个寂静夜晚的故事里了。

午夜的山谷中回荡着教堂传来的钟声，初生的羔羊在下面的田里呼唤母亲。

哦，今天是圣诞节。

6

圣诞节噩梦

圣诞节早上的天气正如佩普先前所预料的。年龄尚小的查理表示，眼前的情景完全不像他所期盼的那个阳光普照的天堂山谷，倒是比较像空气阴郁凝重的苏格兰高地。他认定这是某种陷阱，而且自己连电视都没得看。

马略卡的坏天气不会持续太久，我望着厨房外告诉他。山上乌云密布，看来要下雨，不过，太阳很快就会出来的，到那时，他就能好好享受一下地中海的户外生活了。

"想想我们的小农庄，"我激动地说道，"所有橘子都要摘，你们也可以赚一点钱。以前留下来的杂草也要拔，然后再把地犁一犁，我们就可以整出一块地来踢足球。地面当然都是泥，不过在这里很平常。所以，来嘛，振作点，一切都会好起来的。"

　　　　　　　　　　　　　　　马略卡之冬：雪球橘

"年轻人现在都回家看电视了。"查理嘀咕着，丝毫没被摘橘子的事打动，"圣诞节电视上有很多好节目。"

"对。不过很快你就不想看电视了，因为天气很快就会恢复正常。这里的生活方式完全不同。到时候你俩可以穿着牛仔裤和运动鞋去上学，整个夏天都可以游泳——"

"然后呢，在没有草的地方踢球？别想得太美好了。"

"别担心，很快你就会习惯的。"我笑着答道。

"我可不这么认为。"查理皱着眉头道，"我一定会生烂疮。在那种泥地上踢球一定会生坏疽，满地的羊大便也让人恶心。最后，腿一定会因为长烂疮而被截肢的。"

"最好你的舌头也快烂掉。"森迪揉着眼睛喃喃地说，一边走进厨房，"那时，晚上我们都可以好好睡觉，不用听你在那里发牢骚。你的毛病就是，你完全身在福中不知福。真是贪心不足。"他瞥了一眼窗外，打了个寒战，然后耸了耸肩，搓着双手，"老爸，外面好像有点吓人，是不是？这里一点都不像你的阳光山谷，是吧？"

"你好！橘子！橘——子！"

我听出那是老拉斐尔在门口叫喊。他正好把我从孩子们的要挟中解救出来，让我不用再听他们抱怨。我纳闷，他们到底想怎样，难道一年三百六十五天，天天都得有太阳？

"朋友，圣诞快乐。你好吗？"我打开大门，拉斐尔脸上堆满笑容，开心地说。这一次，他并没有赶他那羊群，也没有带孙子。他说，今天赶时间，所以他骑摩托车来的。我昨天去哪里了，他急着来买橘子，但没有人在家。如果有顾客打来电话，家里却没人，我这生意可就太失败了。"我的天哪！"

我站在拉斐尔的下风向，他把摩托车停好，踢了踢那辆有点摇摇晃晃的车，直到它靠脚撑颤悠悠地立住。那辆摩托车开起来有股很重的羊膻味。我猜拉斐尔给他的摩托车加的也许是一种神秘燃料，而这种燃料是从他们家后院羊群的排泄物里提炼出来的。

"拉斐尔，对不起，昨天没碰到你。"我谨慎地逆风而行，"我们去了机场接我那两个儿子。我叫他们下来跟你到果园摘橘子。如果你赶时间，这样也可以节约你一点时间。"

他说那好极了。今天他很需要人帮忙，因为在家人回来前，他必须把圣诞节的午餐准备好。虽然只有十二个人回家过节，他还是有很多事情要做。而且，天气真的要变糟糕了。"朋友，你看那里。"

天空乌云密布，远处的山峰被雾气厚厚地盖住。那些私奔的雾霭悄悄爬下山峦，冷风掠过松冈，吹向山谷深处。低层的云朵翻飞着，倏忽飘过银灰色躁动的天幕。特拉蒙塔纳的山风就要来了。暴风雨前的萧索气象似乎已吞并了北方的整个山头。

"小伙子们，赶快下来帮老拉斐尔摘几筐橘子。"我匆忙走进厨房，"他有点招架不住了。"

"爸，我们实在不会摘橘子。"查理提出抗议。

"所以，你们觉得还有谁比这位西班牙老先生更适合教你们？"我反驳道。

"是啊，可是语言呢，爸。我的意思是，那位老先生会说一点英文吗？"森迪担忧地说。

"一个字也不会，所以，你们可以好好练习一下西班牙语。最好麻利点儿，没时间了，赶快！"

"还有圣诞节礼物啊，我们连圣诞节的礼物都还没拆呢。"孩子们一起表达着不满。我置之不理。他们只好心不甘情不愿地溜走了，他们刚刚结成同盟，都对这项即将开展的陌生任务缺乏热情，而我还听到查理小声抱怨说马略卡这地方让人长痘。

"亲爱的，耐心点。"艾莉说道，她正忙着拨弄炉火，收拾昨天享受过的壁炉，"对孩子而言，变化太大了，给他们一点时间去适应。你要对他们有耐心。"她脸上露出满意的笑容，让我有了耐心。她又说："趁炉子还热着，先把火生好，我们的圣诞庆祝活动才会舒服一些。你看积云越来越厚，一副要下雨的样子。天气变坏了。我们该把家布置得舒服些，对不对？"

她是对的。我们已缺少了圣诞节一些常见的小物件，像照片、灯具、装饰品以及查理最喜爱的电视，这些都能营造出一个家的感觉。目前，家里的东西仍在从英格兰赶往西班牙的路上，我们必须尽可能创造出最具个性的圣诞之夜。也许，高朋满座、四邻庆贺的节庆气氛也无法比得上"市长府邸"圣诞节夜里独向炉火的恩典。如今，一切都离我们非常遥远了。一千五百英里之外遥远故乡的事，对查理而言，恐怕无法想象了。他分不清一千五百英里和一万五千英里的区别。

"查理很快就能适应的。"艾莉道，她完全读懂了我的心思，"等学校开学，他很快就会认识一些新朋友，发现一些新事物。我相信，一切都不会有问题，不过呢，森迪……以他的年龄，可能会困难一点。"

"我知道你的意思。"我一边扇着刚燃起的一小堆杏仁壳的明火，一边说，"在家里，他已经开始有自己的生活了，他生活的全部就是他那群朋友、他的第一辆车，那一堆他喜欢的东西。森迪明年也要上大学了，搬来和我们一起生活，对他而言是个很难下的决定。"

"我还是不知道，对森迪而言，我们搬家的时机是不是错了。"艾莉沉思了一下，然后回答，"不是。当初是他自己决定要和我们一起来的，而且，你也知道，他仍有余地，可以非常洒脱。"

"你的意思是？"

艾莉跪在我身旁的壁炉边生火，鼓起勇气用费雷尔家留下的一套裂了的风箱吹着噼啪作响的杏仁壳。"他不是被判了终身监禁，非要跟我们在这里，对不对？再说，他也不是一辈子都要被放逐在这个殖民地受罚。如果他不喜欢，或看不到前景，我相信他一定有足够的聪明才智以及坚强的意志重拾失去的东西。"

"是啊！不过我一直记得当我们幻想着能够搬到西班牙来住时，你一直在想这件事，我们最抱歉的是给了森迪压力，他必须得决定是要留在英格兰，还是跟我们一起来马略卡。我知道森迪比谁都希望我们能抓住机会，不过等我们真的到了这里，森迪放弃了一切，也来了，我真不知道——"

"你看。"艾莉挽着我的手说，"你担心太多了，别忘了，森迪已经不是小孩了。"

"你在机场到底跟乔克说了什么？"我逗她道。

"不管我说了什么，森迪现在已经是大人了，他很聪明，所以，我相信他知道自己要的是什么。"

"你说得对，艾莉，我想你是对的。"我叹了一口气，"我现在才了解，对你对我这也许都不算什么，只是，这一切对孩子们来说变化实在太大了，搬到此处一定会影响他们日后的生活。"

"快别说了，老头子。"艾莉愉快地揶揄了我一下，"你和我都还没老到要把脚伸进棺材里呢，日子总还是要过下去，所以，即便在这里受到些什么影响，那也一定是好的方面。

对我们和孩子都一样。"

她开玩笑般地在我肋骨一侧戳了下，我突然失去平衡，一个轻轻的侧翻，摔倒在不整洁的地板上。

"醉了！早上九点已经喝醉了？"

我默默越过长椅看向厨房门口。老拉斐尔的大圆脸满是笑容站在那儿，森迪和查理愉快地跟在身旁。

"他在问是不是早上九点钟你就喝醉了。"森迪笑着答道，"这个我知道。可这位老先生说的是哪国话？从我们一到橘园，他就唠叨不停，我根本听不懂他说的任何话。我只是时不时地说一句'是'，他就能继续再快乐地唠叨个几分钟。这就是单方面的对话啊！"

"拉斐尔来自安达卢西亚。"我努力站起来，咕噜着。

"啊，安达卢西亚！"拉斐尔高兴地夸他的家乡，同时拍着孩子们的背，笑声不竭，一直笑到他咳出了痰，但是碍于有女士在场，所以他把痰含在嘴里，而不是像往常一样吐向核桃树。只要有老拉斐尔的地方，伟大的骑士精神就不会消亡。

看他表现得如此彬彬有礼，我决定把艾莉正式介绍给拉斐尔，他见过艾莉一次。那次，她正为费雷尔太太的狗弄脏了地板而大发雷霆。"拉斐尔，这是我太太艾莉。艾莉，这是拉斐尔。"

老拉斐尔笨拙地脱掉头上那顶绒布帽，然后对着艾莉伸出他那双经常被橘子皮液和羊粪粒熏染的手。

"太太，幸会！"他低声说，呆呆地鞠了个躬，那双黑橄榄般的小眼睛高兴地上上下下打量艾莉，眼神显然在她美丽的脚踝、膝盖和往上所有地方都停留了一会儿。

"爸，他专挑些长虫和生蛆的橘子。"查理一脸要作呕的表情。

"儿子，我知道。不过他在看你妈。"我故意小声抱怨。

"我……我想你一定有很多孙子，拉斐尔先生。"艾莉结结巴巴地说，然后把手从拉斐尔湿滑滑的手中抽出来，退到那棵临时圣诞树旁，"我想有些东西，你应该会喜欢。"

"感谢上帝，艾莉，他听不懂英文。"我难以置信地摇了摇头，"我常警告你不要尽强调些显而易见的事，但是——"

"我只是想拿一些巧克力给他孙子，"艾莉生气地回答我，她绕到树下翻找，"我特地准备了两盒。"

当她转身过去时，拉斐尔悲伤地望着我，然后用手指轻轻地敲着脑袋。

"哦，她脑袋没问题，拉斐尔，这很正常。"我点着头。

拉斐尔不相信。他噘着嘴，歪着头，仔细地打量艾莉翘起的丰满屁股。那些漂亮女人通常都有些脑袋不正常，而那些会煮菜的、会打扫卫生的、会放羊的、会在外面工作的和会生孩子的又都是些丑女人。他老婆是第二类。这不是说他找不到第一类，而是在这个国家，找老婆的时候还是要实际点。伙计！如果她不能像骡子一样在田里工作，为什么还要花钱养着她呢？

我很想告诉他，艾莉在平安夜真的煮了一锅很美味的煲仔汤，但很快我有了更好的主意。好像也不用把事情复杂化。我只希望艾莉不介意拉斐尔那些相当性别歧视的话，虽然他那个年代的人对此都习以为常，但艾莉肯定无法苟同。我知道，她并不欣赏上了年岁的老男人统治西班牙家庭的这种传统，我更不愿意看到拉斐尔因为他的词典里根本不存在的罪行而受到讨伐。

艾莉亲切地笑着给完拉斐尔巧克力，我才放下了心里的大石头。她拍拍他的手背，拉斐尔变得像《白雪公主》里害羞的七个小矮人里的一个似的，站在那里看着自己的双脚。

艾莉用指尖缓缓地挑起拉斐尔的下巴，温存地望着他的双眼，柔和地用英文对他说："圣诞快乐！希望你孙子会喜欢这些巧克力，你也该让你的太太尝一些，你个落伍的沙文主义小鬼头。"

拉斐尔害羞极了，还好他完全听不懂艾莉说的话。"太太，非常感谢。"他希望这位太太在马略卡能够身体健康，多多发财，幸福美满，此外还能替这位先生多生几个像这两位少年一样的"汉子"。你看孩子都很乖，工作热心。这位太太很会生孩子，很少有女人会这么……有魅力。他注意到，艾莉的屁股很好，适合生养，在变老之前，应该好好使用这个功能才行。

艾莉露出甜美的笑容向他致敬，这一次不知道又会发生什么。

我闭上眼睛，默默祈祷，感谢上帝大家的语言都不太通。山谷传来一阵雷声。我想老天真的听到了我的祈福。阿门。

"拉斐尔，今天的橘子不要钱，"我马上说，"就当作献给上帝了吧！"

拉斐尔整个人愣了一下，不过他还是自己在胸口画了一下十字。"对，感谢上帝，朋友，感谢上帝。"

我帮老拉斐尔先把橘子搬上摩托车，再把车子推到巷子口。晴空万里突然云雾翻滚，西北方特拉蒙塔纳的山风如同鼓风的皮兜子一般向山谷内散发冷空气。大雨眼看就要落下，刚开始还只是零星的雨点，接着就像液体炸弹一样重重地落了下来。巷子突然变得泥泞，雨点四溢，坑道沟渠内满是溅起的灰泥水花，如同迷你版月亮环形山。北方又劈来一道惊雷，顿时风雨大作，如同钟鼓齐鸣，刹那间，天空倒下倾盆大雨，一阵强风带着雨滴，打得人脸疼痛难忍。

我急忙跑回屋子，还没跑回厨房门前，全身就都湿透了。

"你看那雨。"查理倒抽了一口气说。我站着，甩干头上的水滴。"我从来没有见过这么大的雨。爸，你看，从地上溅起一英尺高，我想你给上帝献的东西它一定不喜欢。"他悄悄在我耳边咕噜着，以防他虔诚的母亲听到，"他们全都在拿尿撒你。"

"查理，很像，真的很像。不过，闪开，在我淋成落汤鸡之前，先让我进去。"

森迪正在炉边添加柴火。他望着湿淋淋的我，开始吹起口哨。那是一首酒吧里常放的《白色圣诞节》。

"我想《雨中曲》可能比较合适吧。"艾莉递给我毛巾，说道，"希望你那老朋友在回家的路上也淋成落汤鸡。"

"怎么了？他到底说什么得罪了你？你还说他是沙文主义小鬼头？"我小心翼翼地询问。

"不只是言辞无理。事实上，他说的在我看来反正都是废话，我也不喜欢被当成被卖的母牛一般打量。"

艾莉义愤填膺地走进厨房去看我们圣诞节午餐的进度。她看了一眼烤箱里的东西，然后砰的一声把烤箱门关上。"填了他！"她大叫，我想她指的肯定不是火鸡。

一道令人目眩的闪电照亮了昏暗的白昼。接着，震耳欲聋的响雷直接在头顶炸起，窗棂嘎嘎作响，老房子地基似乎不稳，也跟着摇晃起来。雷声回响在群山之间，峭壁、岩石像自然劈开的共鸣板，跟着一路呼隆下去，巨大的轰鸣灌满山谷。

艾莉匆匆忙忙跑过来，抱着我的手臂，把脸埋在我的肩窝。"我怕打雷，"她轻轻地说，"拜托，拜托帮我捂住耳朵，等雷声过去再告诉我。我讨厌打雷，也不喜欢下雨天的闪电！"

"如果闪雷击中房子，闭上眼睛、捂住耳朵都不是最好的选择。"森迪站在门旁说。

"对，你和我们其他人一样，都会成为熏肉！"查理笑着道，"所以，你最好到窗口一起来看看上帝那雷霆万钧的气势。真的很棒！来嘛，妈。你又不是胆小鬼，用不着那么害怕嘛。"

没有任何预警，一个嘎吱嘎吱的声音传来，像一把巨大的劈柴刀割裂了木板，我看到外面一道如蛇一般扭动的闪电击中了房子前面的桉树。猛烈的闪电击中了树干。一段树枝被雷劈断了掉下来，就像一只折断了肋骨的小鸟，尚未跌落地面就死于暴怒的火焰和蒸汽里。

在眼睛承受了连续闪电刺激之后的不到几秒钟的时间里，我们的耳朵开始感觉到那随之而来的炸雷的声势。那情势就如在战场的枪林弹雨中，我们刚好处在被射出的巨大榴弹炮的弹壳里，一声巨大的爆炸掩盖了所有声音。我们感到脚下的石板在摇晃。陶制盘子从书架上被震到地板上摔成碎片，窗玻璃被击得粉碎，清脆的破碎声伴随着撤离山谷的惊雷，在我们耳边盘旋良久。

一切显得极不真实，我们呆呆地等着，沉浸在这一切发生之后的可怕的寂静里。等到从震惊中回过神来，我们才知道刚才我们真实领略了特拉蒙塔纳暴风雨的可怕。

"耶稣基督啊！"森迪尖叫着，粉嘟嘟的一张脸充满紧张和刺激过后的苍白。他站在厨房里，背用力地抵着墙壁，"刚才那道雷真的好近！"

艾莉慢慢地松开我的手臂，我可以感觉到她的身体依然在颤抖。

"亲爱的，雷击过去了，"我安慰道，虽然没法克制因为强刺激而造成的颤抖声音，"你现在可以睁开眼睛了。我想，一切可怕的事都结束了。现在呢，最重要的是我们都很安全。"

"但……那个能击碎一切的声音，我听到有碎玻璃的声响。"她结结巴巴地说着，"我想玻璃应该碎了。"

"啊！妈妈，你最好别来看！"查理突然尖叫起来，他从藏身的桌子底下爬出来，"外面有一棵大树，整个被劈裂了，倒了下来。妈妈，你的杯碟也碎成渣了。窗玻璃也全都震碎了。"

"查理，你躲在下面，怎么会知道的？"森迪胆大，就奚落他，"你像个兔子摇晃着屁股钻在洞里呀！"

"对呀，查理，不要夸大其词。"艾莉声音越发颤抖，"森迪，不准说亵渎的话！"

"说屁股不算说亵渎的话啊！"森迪抗议道。

"好了，孩子们，我们最好一起来检查一下我们的损失到底有多大。我提议，森迪，你去拿刷子和笤帚；查理，你去看看能不能找个空桶。我们来打扫一下！"

我把双手放在艾莉的肩上，注视着她的眼睛。我舒了一口气，他们好像已经不那么恐慌了。可怜的艾莉，她真的被雷击给吓坏了，好在如此罕见的雷击和暴风雨把她对拉斐尔的仇恨完全清洗干净了。这是件好事。也许那老家伙对我主耶稣所献的机械的感恩并非毫无用处。

"你确定现在没问题了？"我轻声地问她。

"嗯，老实说，我很好，"她带着微笑向我保证，"你和孩子们去吧。我来把这些打破的盘子清理清理。"

非常幸运，滑落在坚硬地板上的玻璃碎片制造的声响比实际破坏大。只有三块窗玻璃被闪电击碎，外面的百叶窗阻挡了暴雨侵入。目前可做的事情，就是把通风口塞住，再找一些厚纸板把空洞敞开的窗户堵好。

"看起来是不够整洁。"我向孩子们承认，"不过，我们必须等假期结束后才能请人来修玻璃。"

雷击的刺激和因此而受到的心理创伤同时存在。在这之后，一种反高潮的奇怪感觉占据了上风。随后是烦躁：我们发现架在桉树上的电话线被雷劈断了。接着近乎是绝望：电也断了。

电源没有了，水泵就不能使用；没有水泵，我们的屋子就没有循环水了。我必须打个电话去找维修的人，然而我知道附近的邻居都没有电话。

"没其他办法了，"我下了决心，"我得开车去城里。"

附近高地冲刷下来的泥石流把巷子变成了水乡，我小心翼翼地开出巷子，到村子远处的公共电话亭去打电话。我拨了好多次都拨不通，接着开始用西班牙语和天然气、电力公司有毛病的自动对答机联系，那真是令人斗志全失的时刻。电话那头的录音一遍一遍地劝慰我，圣诞节期间人工提供不了任何维修服务，我报修的问题只有在正常营业时间内才能得到妥善解决。

我又打了个紧急电话给供电公司，甚至没能接通。

今天真的是圣诞节。我回到家，告诉大家这个非常不幸的消息。等我再告诉他们，我们必须自己拿着绳子、水桶到蓄水池那边去提水，大家的心情可想而知。蓄水的地方在外面的露天高台上。我们很快就发现，在地中海的暴雨天到外面取水，真不是一件令人高兴的事。

"到壁炉边来烤烤火吧。"我对森迪说，他不幸承担了首次到蓄水池取水的任务，"你真得佩服老马略卡人。他们把取暖的地方盖得这么大，如果一旦雨雪天你不小心淋湿了，这里就成为方便大家烤火的地方，多舒服。真是个好主意。"

"更好的主意是，"森迪站在厨房中间发着抖、喘着气说，"不过这可能没有那么伟大，更好的选择是屋顶上就有个简单的蓄水池，像我们苏格兰家里一样。那样每次下大雨停电时，我们根本不用冒雨到外面去取水。"

"你说得对，"我不好意思地承认，"以前我真的没有想到，但你确实是对的。奇怪，他们都没有在这些老房子的屋顶安个紧急蓄水池。"

"要是没有发电机，他们怎么把水提到那么高的地方？"艾莉思索着。

"现在不是争论这些的时候，"查理说，"这就好像电视节目与天线一样。有电视天线，却没有电视节目看。"

"既然费雷尔家有发电机，他们为什么不在屋顶上放个蓄水池？"艾莉又沉思了一下。

"那是因为他们太吝啬了，"我回嘴说，"不管怎样，我们今天要用绳子和水桶来打水。往好处想，这也是体验传统马略卡生活方式的一种尝试。"

"传统？老古董！"森迪口中嘟噜着，然后一声不吭地走到火炉边。

季节善意的、难以捉摸的送信人似乎还是避开了我们一家人，如果这个时候问孩子们最想要什么圣诞节礼物，我想他们最想要的一定是，立刻飞离马略卡小岛的单程机票。

但是艾莉仍在努力营造一个美好的氛围，我们在"市长府邸"的第一个圣诞节，要成为孩子们今后快乐、难忘的回忆。她已经做好了准备，绝不能被突如其来的地中海暴风雨扫了兴致。她要大家围着厨房的大桌子坐下，戴上纸帽。老佩普送给我们的木柴在火中噼里啪啦地烧着。按照马略卡圣诞节的传统方式，艾莉在炉火中撒上迷迭香。大家闻着香味，这还是颇令人愉快的。

对于圣诞节午餐，我们也准备了一些乡村传统菜。第一道当然不是查理认为的飞行员用来解乏的洗脚水，它实际上是棕色的带菜叶的小肉丸汤，底层泡着有点烤过了头的面包。然后是火鸡。好家伙！这只火鸡乖巧玲珑，在有生之年，它一定吃了不少虫子。你看它翘屁股的样子，一定经常在山谷中偏远的橘园和农庄里停留过夜，也曾昂首阔步地走在阳光普照的杏林和青梅间。如果灵魂能够离开肉体独自存活的话，这家伙一定在看着自己高高撅起的光屁股赞叹不已，就算死了也死得其所。如此高贵不凡的身躯，在我们圣诞节的餐桌上被隆重推出，成为主菜，真有点讽刺的感觉！它的肚子里不只有猪肉杂烩，还有这家伙保持矜持姿态颐指气使地走过的那些果园里的干水果。不过，现在它浇着艾莉的石榴酱汁，搁在烤小马铃薯、烤西红柿、豌豆和油炸地瓜的餐盘上，这位辞世的家禽君王也算被致以了五彩缤纷的敬意。

我们用一小段一小段的牛轧糖排成一串城墙。这是当地一家糕点店专门为圣诞节烘烤的奶油杏仁花生糖。上桌的还有一种口味清爽的柑橘糕，是用老玛丽亚家那色泽鲜艳、价格不菲的鸡蛋，加上我们自制的柠檬汁做成的。

艾莉是我们的骄傲。

渐渐到了下午，大雨倒是下个不停。雷霆万钧的气势渐渐逝去，暴风雨漂洋过海前往非洲大陆去了。山谷里早早就飞上一层纤细的薄暮。我们望着南方天空，那里隐约泛着粉红色的电光。

坐在桌前，我们头上顶着的纸帽子游戏般地对着深灰色调的阴雨天招摇自己的艳丽，而屋外次第渐高的田地井然有序，雨滴落在土壤上，溅起的泥花纵横交错，织成一张硕大的地毯。树枝的娇绿和橘子的金亮，染上周遭景致沉闷的气氛，似乎哀伤了些；农庄与农庄间如同哨兵一样成排站立的棕榈树孤零零的，一副寂寥的样子，孤芳自赏地在大雨滂沱中看着似懂非懂的人间万物。它们那种异国的气息在我们眼前渐渐散去。这种场景，清新夹带着沧桑，像是外赫布里底群岛箫索的大西洋海滨，而非令人心旷神怡的地中海岛屿上的一个山谷。孩子们的看法是正确的。这一切和所谓的艳阳高照的天堂谷，实在相差太远了。

"受不了啦。"查理夸张地伸展手臂去抓胳肢窝，"我要去尿尿。"

"随便你，"艾莉显得无动于衷，"可是这次要对准。文雅一点。"

"确实。"我煞有介事地说道，想象那里有个太阳，如果真有一个太阳高高挂在那里的话，它正缓缓隐没在西山的树丛之中，愉快地致意，表示快乐时光就要来了，"查理，一定要命中目标。这种地板不能浸水。"

此时，渐浓的暮色让古老的厨房里一片朦胧，大家都沉浸在乡愁的怅惘里。"好了，我们来点蜡烛。"我柔和地提议，"点亮咱们的心情。"

"为什么不呢？"森迪手托着下巴，茫然注视着窗户，漆黑潮湿的夜幕缓缓降临，"啊，今天可是圣诞节！"

"问题是，大家都很烦，"艾莉说，"想一想，一定有什么能令我们振作一下。"

"我想倒一大杯金汤力，"我走到柜子旁边，"这样我一定可以好一点。我记得这儿好像有一瓶米诺卡的杜松子酒，你们想想自己要点什么。"

他们全都摇了摇头。

"别总这么扫兴，"我劝道，"既然来到这里，就打起精神来。艾莉，你来杯雪利酒，好不好？森迪，我倒杯啤酒给你，怎样？"

"哦，爸，不，谢谢了。我一肚子火鸡还没有消化完。"

"亲爱的，我还是不喝的好。"

"随你们吧！"我说道。杜松子酒小指头般粗的瓶口配上老式瓶身真是不错，"艾莉，你可以兑一点橘子汁在里面。你不知道，这酒真的很好喝。"

艾莉耸了耸肩膀，不以为然。"我知道自己喜欢什么，谢了。"

"爸，马桶为什么不能冲水？"查理问道，他手里拿着手电筒走回厨房，"我冲了又冲，一点用都没有。马桶的水池里没有水。"

"没错，你这本年度最聪明的家伙！"森迪嘲弄地噘着嘴，"好好听我说。没——有——水！你晓得了？这里没有电，没有抽水的泵！没有自来水！"

"哦，老天，我完全忘了这回事，"我坦承，"我们必须用手推车去把水池的水运回厕所来用。查理，拿着手电筒，看来我和森迪得提很多水，我最好准备好今晚要用的水。"

多么仁慈啊！夜晚来临，大雨停了下来，寒风料峭，从北面峡谷向南盘旋而来。我们提着木桶到水池边，山头上方云烟散开，深青色的天空闪耀着星光点点。暴风雨结束了，然而，我们的问题并未解决，我们很快就会发现这一点。

"查理，把这桶水提到楼上，倒进马桶里，"我说道，"森迪和我接着提水。还有，你不要忘了把桶拿下来再装一次。"

查理马上就回来了。"爸，不管用。"他喘着气，"我把水倒进去了，不过一点用都没有，水满了就停在那里不动。"

"'市长府邸'现代化设施清单上的另一项也消失了，现在我们连厕所都没有了！"森迪悲叹。

"不用担心。"我快活地虚张声势，"我们把手压皮碗泵从水箱底下拿出来，马桶很快就会没问题的。"

十五分钟后，我按了不下数百次，马桶里的水还是满满的，而我已经累坏了。

"算了。"我喘着气道，"再怎么折腾也没有用，看来骂人也无济于事，我到外面去看一下。"

在乡下，这种情况很普遍，"市长府邸"的下水道和主街管道没有连在一起，简而言之，就是这里没有下水道。就像有些农庄，他们有自己的水管接到附近的化粪池，即一间细菌生化工厂，它会把所有东西都化成水，然后通过专门的沉淀系统排到附近的土壤里。这个化粪池曾经运作得很好，水管不会被超市的手提袋、塑料鸭子、玩具车、泰迪熊以及其他不能分解的垃圾塞满，顶多只要稍加注意。可是现代化厨房使用的化工产品越来越多，洗碗机的清洁剂会破坏化粪池里细菌生物群的食欲及消化能力，甚至可能完全破坏它们的胃口。但也有人（看守猎场的老人）这样告诉我，只要把一只路边的死猫带回丢进化粪池里，正缺食物的细菌很快就会将全部的猫尸一点点分解，再次吃个心满意足。老人告诉我，都是因为化学剂使用过多。

老人家的提示不是一般人能使用的方法，我原本并不打算采取，但当我在悲惨的圣诞夜里步履沉重地走向化粪池时，我却感到振奋，一想到如果有需要，费雷尔的小木屋里有的是细菌开胃品。那些曾经抓破过我的腿、邪恶、下流的猫科恶棍，正好合适。

不过，弗朗西斯卡的猫不用害怕。我拿着手电筒照着往化粪池的路上走，一切问题都迎刃而解了。与化学剂无关。化粪池里面的东西全都溢了出来，压强大到足以把盖子顶开，地面到处都是溢出的恶臭污水。

"那我们现在该怎么办？"当我回到厨房，把这个噩耗告诉艾莉后，她傻傻地问我。

"就像森迪讲的，又有一种现代化设备不能用了。我们现在没有电话，没有电，没有水，所以我们不能用厨房、浴室或厕所的水池。"

"真好！"查理兴致勃勃地说，"不用洗澡了，厕所不能用，那我从卧室的窗户往外小便，就不算违法了哦，真是特殊待遇！"

"你还可以不用着急洗碗了。"森迪又补充了一句。

"老哥，完全正确，耶！圣诞节好像变得没那么糟了。"

艾莉的反应倒是没有那么激烈。"我真的不敢相信，"她叹着气，缓缓地摇着头，"我们当时还以为住老房子感觉多好，真是愚蠢。哎，我现在已经不那么确定了，我真不知道……接下来，我们该怎么办。"

我知道今天接二连三的事情已经让她开始厌烦了，我很希望能说些鼓励她的话，可是我一句也说不出来。

"我们现在连厕所都不能用。"她有些结巴了，在烛光下显得神情沮丧，泪水潮湿了眼眶。

那种熟悉的阴郁感受又回来了，这一次更加强烈。我有些怕，第一次有了乡愁的感觉。我们感觉到离家乡太远了。困在外国小岛上一间不太友好的老房子里，离开了家庭和真正关心我们的朋友，天堂也随之消失。

突然，厨房门外传来一阵怯怯的敲门声，打断了我们沉默的忧思。门一打开，是拉斐尔。我吃惊地望着他。他站在黑暗中，一手提着油灯，一手捧着一个用餐巾盖着底下重物的小碟子。

他亲切地为这么晚来打扰而道歉。这个暴雨夜，村里的电力被切断，他知道我们这一家人的家当还都在从英国来的路上，他就特别走路过来，拿油灯给我们晚上照明用。他告诉我们，这个油灯他通常只是拿来看羊圈用的，现在这些羊都待在圈里，非常安全，到明天早上为止，都不需要再去看它们。还有，请我们原谅他，因为他直接就闯了进来，大门开着嘛……

我扶着他，带他进入温暖的厨房。"拉斐尔，"我哽咽了一下，"你真的不需要过来，天气这么冷，你大老远走过来，真是——"

"朋友，你们是外国人。"他笑着把灯放在桌上，拍拍我的手背，"你们是外国人嘛。"

老人又转向艾莉，把绒帽摘掉，夹在腋下，在房间内踌躇了一会儿。

"太太，"他害羞地低声说，一边缓缓抬起头看着艾莉茫然的脸，"我太太和我……"他不安的手捧着那托盘。

"艾莉，快收下，"我轻声地催促，"这是拉斐尔和他太太送你的礼物。"

"太太好心地送我们巧克力，我太太既惊讶又高兴。"拉斐尔结结巴巴地说，紧张不安地把盖在小碟子上的餐巾打开。他太太竟然因为接受了我们的小礼物而回这么大的礼。

艾莉非常感动，下唇颤抖着，当她看着拉斐尔打开眼前的东西时，完全无法控制自己的情绪。

"先生，"他皱着眉头，略有担心地表示，"这是我们家纪念耶稣诞生的旧雕像。"

这是伯利恒耶稣诞生的小雕像，每年圣诞节，西班牙家家户户都要把这个雕像放在最重要的地方。拉斐尔送的这个礼物是他们家最古老的耶稣诞生雕像。底座是个圆形饼干罐的盖子，上面是个简单的马厩，用黏土草草捏成，因为年代久远，有一点裂纹，原本鲜艳的红黄绿三原色也脱落了。中间是个迷你的马槽，粗糙地用小片木材雕刻而成。小耶稣的头很小，位于铺得碎碎的稻秆中间，那是小耶稣的床。圣母马利亚、约瑟和三位东方来的博士爱慕地站在一旁，他们的身体只是圆柱形的小黏土块，插上杏树的纤枝做手臂，微弯的保险丝做成神的光环。稍远处，有三只形状不甚清晰的动物依偎在一起（我才想起那是羔羊）。附近还有一只大一点的动物，略像独角兽，靠近一看，是一头早已磨掉了一只耳朵的驴子。整个背景是座锯齿状的山，山坡上布满圆锥形的松树，大小不等的星星贴在银灰色的纸上，金屑闪耀着针状的光环。

"你太太好像不太喜欢我的耶稣雕像？"当艾莉忍不住泪流满面时，拉斐尔走过来质问我。这个雕像是他亲手做的，他非常生气地强调，是好几年前做的。好吧，他的雕像确实也不像帕尔马皇家商店的模型那样流光溢彩，穿着丝织品服装，显得价值连城。也许他的耶稣、马利亚和约瑟不像近来刚从店里买来装在特殊雕像上的塑料人那么干净，可他这个小雕像确实是独一无二的。这是他的一部分。天上的圣母，山坡上的那些圆锥形的松树是用谁的口水贴上去的？"四十个妓女！"

他最后的感叹，"四十个妓女"，和耶稣诞生有什么关系，我不知道，也没打算追问。他正在气头上，等他准备好一番高谈阔论之前，我倒了一小杯金酒给他，好让他平静一些，不过，却被他满是老茧的手推到一边。

"我的上帝！"他严厉地说道，声音像小虫儿一样嘤嘤呜呜，把帽子戴回头上，"那个雕像不只是个简单的雕像，它是神圣的、虔诚的，是我真实灵魂的再现！"

趁拉斐尔休息的时候，我尽最大努力向艾莉和孩子们解释拉斐尔的意思，他脸红脖子粗，摇摇晃晃地站在那儿，竭尽所能地克制自己的愤怒。

"哎，我第一个儿子，"他终于可以平复情绪继续说下去，"我为我的第一个儿子雕刻了这个雕像。拉斐利托。"他垂下眼，大声擤着鼻涕，手背放在鼻子下发出戏剧性的啜泣声。

我望着艾莉，从她泛红的双眼、颤抖的下巴来看，她已经快要抓住拉斐尔高超演技的大意了。

"拉斐利托，哦我的拉斐利托！"老人哽咽着，一只颤抖的手掩面而泣，"对了，太太，"他又抬起含泪的双眼，看咬着下唇、努力噙住眼泪的艾莉，"我的小拉斐利托也是今天出生的，好多年以前，我为他做了这个雕像。"老人深深地吸了口气，把下巴埋在胸前，偌大的眼泪在帽檐下滴落，轻轻坠到石板地上，"今天是拉斐利托的生日，哎，朋友，他今天本该……"

拉斐尔无法再讲下去。他低着头，耸起肩膀，用手捂着眼睛，那把苦难的老骨头用力地无声啜泣。

艾莉犹豫了一下，捂住嘴，忍不住抱住老泪纵横的老拉斐尔，给了他一个母亲般慈祥、令人窒息的拥抱。"好啦，好啦，好啦！"她宽慰地拍着他的头，就像拍小婴儿般又拍着他的背，"你的雕像是我看过做得最好的，我们会永远地收藏它，我保证。"

"谢谢，太太，非常感谢你。"拉斐尔轻哼着，他一点都听不懂艾莉说了些什么，不过拥抱是共同的语言。是的，我们两个儿子昨天跟他一起摘橘子，让他想起了拉斐利托。他解释着，"这么小的孩子，和拉斐利托一般大……可是，他那个时候患了白喉……"他用力吸了一口气，鼻腔的共鸣如鼾声大作，他咽着鼻液说道："这是我把雕像送给你们的真实原因……拉斐利托，我的拉斐利托。"

拉斐尔的身体突然一阵痉挛，膝盖开始颤抖，然后像婴儿般哭了起来，尽管他的大声哭泣被艾莉的胸部很大程度上淹没了，牧羊人的个头刚刚达到这个高度。不过呢，他的一只手舒适地像考拉熊抱着桉树一般抱着这个慷慨的避难物（艾莉），另一只手则如同回应艾莉刚才拍他的动作一样，拍着艾莉的背。

相互安慰的动作一直持续到双方即将号啕大哭而突然沉静下来的一刻（也不是完全没有理由），拉斐尔在艾莉后背的手已经开始冒险地四处游走了。此时，怜悯的心情瞬间变成一种鄙薄，艾莉迅速松开自己的双手，挣脱拉斐尔游移不定的魔掌，震惊地傻笑了一下，然后愤怒不平地尖声叫出："你这个老不死的臭流氓！"

拉斐尔站住了，隔着帽子挠着头，目瞪口呆的表情证实了他心里的想法，这位太太不过是一堆缺斤少两的橘子。

经过一连串安达卢西亚式的愤怒、吹嘘、肢体语言以及混乱不清的抗议，老拉斐尔终于得到谅解，并被我们礼貌地留下来，加入传统的马略卡圣诞大餐，坐下喝香浓、爽甜、热气腾腾的巧克力了，虽然这"安达卢西亚的老流氓"和艾莉彼此猜忌地坐在炉火两端，他那珍贵的耶稣诞生雕像被放置在厨房最明显、备受尊重的位置，那里原本放着生日蛋糕和蜡烛，森迪和查理巧妙地把蜡烛粘在了两个剖开的马铃薯上。维护和平的人总会得到恩典。

难忘的一天在祥和的气氛中结束，香醇的杜松子酒让拉斐尔在我们家的炉边发出幸福的鼾声。他的裤子受热，上面的羊骚味也被烤出来了，他头部上方的柜子，那个泥塑小马厩，因此颇有些真实的味道。就连艾莉也露出了满意的笑容。

诚如查理所言，这个圣诞节好像也没那么糟。

— *7* —

飞腾的烟囱清扫器

当管道清污公司欧西法尔的卡车引擎在阳光温暖的空气里吞云吐雾的时候，我们感觉到被施了魔法般一阵晕眩。它把一条让人惊心的管子伸到黑咕隆咚的化粪池里，贪婪地吞进粪便。那情景就好比一头黑色的机械象，在最喜欢的水坑旁大口喝水。化粪池的西班牙语是"黑井"的意思，面对眼前这种情况，我想不到更准确的形容了。

在场的就只有我们三个：穿着朴实棕色工作服的欧西法尔公司员工，我，还有一只长着鲜艳粉色羽毛的戴胜鸟。鸟儿伸展着一对黑白斑纹相间的翅膀，翩翩飞过果园，好奇地降落在被雷劈过的桉树上。

"你记不记得上次清理化粪池是什么时候？"欧西法尔的工人昏昏然问我道。

"卖给我房子的费雷尔先生说，自从化粪池装好，十年来就从未清理过。今天早上我跟他谈，他说这里根本没必要清理。"

欧西法尔的工人直摇头，耸了耸一侧的肩膀，他显然也懒得管。我相信，他的态度差不多是，你收拾了一个化粪池，所有的池就都算清理过了。要不是急需这份工资少得可怜的工作，他大概也不想在圣诞节之后的日子里站在粪池前跟别人讲话，看人家堆了几百年的排泄物从臭气熏天的坑穴里抽出来。

"今天早上费雷尔先生还把这个化粪池的原始设计图给我看了，"我试着借由这个主题激发他的职业兴趣，"这个井后面有一个隔间，里面装满了石头，用来过滤。它可以把真正的污水留下来，然后用管子输送到田里的浸泡池。这里的农场一定都有。"

欧西法尔的工人耸了耸另一边肩膀。戴胜鸟扬起扇子般的羽冠，摇身一变像是戴上了莫西干人的头饰，缩起一只脚，用它那又长又弯的鸟嘴优雅地整理胯部的羽毛。它也是一副满不在乎的样子。化粪池的疏通管道依旧发出嘎吱嘎吱的声响。

除了化粪池周围发出的阵阵恶臭令人生厌外，这是个舒服的冬日。太阳仍然闪耀，天空一片湛蓝，依稀有几朵残云飘絮一般划过天际，在山顶上悄悄盘旋，向南而去。山谷里景致盎然，没有一丝风吹动橘叶，只有那雨后洁净的叶面闪烁着深绿色的光泽。脚踝高的雾带如练，环绕着排列有序的果树，纹丝不动。这是马略卡一个令人心旷神怡的冬日，除了化粪池周围散发出的阵阵恶臭。

"或许是连接化粪池和过滤房的管子堵住了。"我企图在技术性的话题上提点建设性的意见，"说不定这就是化粪池溢出来的原因。"

欧西法尔的工人这回甚至连肩都懒得耸了。他只是深表怀疑地扬了扬一边的眉毛，故弄玄虚地把手塞进口袋，望着化粪池。他弯下身子，几乎要把乌黑池沼里令人窒息的臭气全都吸进鼻子，然后虚情假意地摇头、耸肩、扬起双眉。"这里没有水管，也没有过滤房和沉淀池。你这里只有一个简单的储存罐。其余什么都没有。"

"但是设计图上标着啊。"我提出异议，"费雷尔先生跟我说，这是三个房间的组合建筑，设计图里全部都有。"

"设计图？别管设计图了。这种化粪池是按最低成本建造的，不可能追加任何其他投入。有设计图并不能说明什么。"

"但是，卫生局的人怎么可以完全不把设计图当一回事呢？"我郁闷地问道，"他们怎么可以批准建造一个违规化粪池？"

"批准？批准？"欧西法尔的工人倒退了数步，一脸吃惊地望着我，"先生！"他喃喃地说着，摇了摇头，不敢相信地对我的天真寄予了同情。

我真是太天真了，我感到自己的心不住往下沉。托马斯·费雷尔显然利用了他和地方官的深厚交情，让这个粗制滥造的化粪池通过了当局的质控检查。

"那现在该怎么办？"我感到恼怒却又一脸无奈。

"事到如今，你只有和我的公司约好时间，每个月找人来清理了。"欧西法尔的工人显得一脸无辜，一边对我说，一边把今天的上门维修单据递过来。

"但是，费雷尔家十年没清理这个池子，他们怎么过的日子？"我顿时想通了一件事，为了保住我们的小天地，不让它陷进化粪池里去，每年我都得额外支出一千多英镑。这个想法让我颤抖。"我是说，他们总不可能便秘这么久吧？"

"到田里上厕所就不会便秘啦！"欧西法尔的工人突然一反常态，幽默地说。我们总算聊到他最乐意谈的话题了。"先生！除非真的突然内急，他们才会用家里的厕所。其他时间，他们还是会按化粪池出现之前的老规矩来解决。所有乡镇我都走过，我太清楚岛上的生活了。如果可以省一两块钱，这里的人宁可到田里或躲在墙壁后面自然轻松地解决。想想也知道，一把无花果叶子比一卷卫生纸便宜多了，对不对？"

他得意地哈哈大笑，然后开始收水管。工作完成，且有个愉快的结局。他可以放心大胆、快快活活地过长假了。我无法分享他的喜悦。"我觉得我就是无花果叶子。"我难过地自言自语。费雷尔家撒了我一身尿，现在又浇了我一头屎。

"噗——噗！"戴胜鸟怪声怪气叫起来，它拍动着莫西干式的羽冠，摆了个嘲弄人的姿态，向费雷尔家的农庄飞去。"噗——噗！"它喋喋不休地嚷。

"好聪明啊。"我嘀咕着，就连这个该死的鸟都在挖苦我。

"我刚才听到的是杜鹃鸟在歌唱？"艾莉飞似的冲出厨房，有些激动。

"不完全是，但也不算太差。"我发着牢骚说道，"可能是托马斯·费雷尔雇来的信差！现在什么事情都没法吓到我了。"

"信差？你是说他的鸽子？我被你搞糊涂了。你到底想说什么？"

"艾莉，传来的信息是，这个化粪池跟费雷尔今天早上给我看的图纸完全不一样！这儿根本就没有什么卫生设备和排污系统。这个化粪池的功用，就是不停地消耗我们口袋里的银子，直到榨干为止。"

"我懂了。先是猫狗的事，然后是厨具、洗衣机、热水锅炉，还有整个电力系统。现在这玩意儿得花我们更多的钱，是吧？我们又被费雷尔家宰了一刀，对不对？"

"没错，不过这次最特殊，我不喜欢用'宰'这个词。"

我冷冷地说。

　　欧西法尔的工人沉默片刻。不过，他倒不是什么都没做。他在思索。他告诉我，臭液溢出是最大的问题。使用热水器、洗衣机、洗涤池都可能导致化粪池里的污水溢出。如果我们可以避免这些，化粪池也许可以正常使用。他解释道，水位控制得当，细菌就可以分解固体脏物；细菌彻底分解脏物后，整个粪池的肥料就可以排到外面。明白了吗？

　　"可是，如果没有你们，我如何才能把粪肥排到外面？"我保持一定程度的谦虚，"你也说了，没有排掉液体的管子，也没有过滤房，液体一定还是会溢出来。"

　　"完全正确！先生，液体外溢正是问题的关键。"

　　我面无表情地望着他。

　　他继续向我解释，因为这些液体都未经过滤，所以包含许多营养质。干这一行的都知道，人类的排泄物可是上等肥料，如果遵照他的意见，我们就等于拥有一个自给自足的肥料池。我们只要在化粪池里装个电动泵，就可以把这些肥料抽出来，洒在田里最需要的地方。在夏天漫长的干旱期，用这种免费的液体肥料来灌溉作物，简直就是上帝的恩赐。到头来，化粪池不但无须额外开销，反而可以帮我们省钱。"完美的解决办法，对不对？"

　　"嗯……没错。我懂你的意思，这真是个好主意。可是那味道怎么办？那东西臭气熏天啊。"

欧西法尔的工人狡猾地挤着眼睛。"没问题的，你可以把它们抽到离家稍远、闻不到臭味的地方。先生，我也有一个小农庄，根据我的经验，化粪池的液体是西红柿的上好肥料。"他的嘴角带着淘气的微笑，"而且，就我所知，你家农场四周是个种西红柿的好地方，那边，就是你家邻居费雷尔先生周末度假的小木屋旁边。"

我心头所有的不快全都烟消云散。啊，这真是个简单、甜蜜的美丽复仇。多么了不起的毒计啊！不但解决了我家的废水问题，到了夏天，费雷尔家也会自食恶果，我们还可以来场西红柿大丰收。更妙的是，以防我们泄露他们化粪池的丑事，费雷尔家一定不敢吭声，半分也不敢。

"朋友，你真是个天才。"我面露喜色，把数好的钱交给他，"这是额外给你的，你真是个天才。圣诞快乐！"

欧西法尔的工人点了点头，接受了小费和赞美。"只是先生，千万别告诉别人这是我出的主意。老板如果发现我告诉客户如何不用花钱就可以清理化粪池，我就死定了。"他斜眼望着开了盖的化粪池一眼，"干我这一行，最好能避免这种处罚。"

或许，这栋老房子的时光精灵终于发了善心，认定我们这段时间遭受的不幸已经不计其数。我也不知为何，反正在那个狂风骤雨、厕所堵塞的痛苦圣诞夜之后，我们在"市长府邸"的日子就好转了。

此外，也许是我们悲惨的境遇激起了当地人的同情心。他们有帮助受难邻居的传统。不管是什么理由，我们迫在眉睫的问题几乎没半点拖延，他们马上就给办好了。

电话线路和电力供应很快就恢复了。胡安，就是那个水电工，他花了点工夫给我们改善电力系统，并在化粪池装了个电力泵，以供我们未来灌溉及施行扰邻计划之用。

甚至，就连另一个胡安·胡安，那个木匠，也来给我们修理了破窗户，他换掉早该修葺的百叶窗，保证在两三天之内就把我们家弄得漂漂亮亮的。果然，三天后，他的雷诺小货车送来了焕然一新的百叶窗。

这一切似乎好得不太真实，因为在这个凡事留到明天的地方，所谓的两三天，可能意味着下个星期、明年，甚至更久。

不过，胡安·胡安正要告诉我们他为何如此守时。他从小货车拿下最后一条窗板，装好，用手背把木屑刷干净，告诉我们这个百叶窗至少可以使用几十年。他说："在挂上窗板前，我们已经先刷过油漆了。你看，这很重要。"他紧张地清了清喉咙，重心不稳地晃着，边看我，边不停地扭动双脚。

刚开始，我以为他想用厕所，可不好意思开口，后来我才搞清楚，他可能只是希望，他这么有效率的工作表现，我能马上付钱给他。

"胡安，对不起！"我抱歉地说道，"我该马上付你钱。

告诉我，多少。"

不不不，他向我保证，说不用那么急，到时候他太太会把账单准备好。或许下个月。他太太一向比较着急。当然，因为她也是马略卡人，而他是从伊维萨岛来的，性子散漫得多。

我不失时机而且老练地不住点头称是，等着他自己说出如此紧张的原因。

这个小个子木匠抓了抓那头灰白的鬈发，紧张地拔出嵌在夹克袖口的木刺。

他总算开口了。大意是，他希望他没有太莽撞，因为我们的邻居老豪梅曾跟他提过，我们想买一台拖拉机，而他刚好有一台，所以他想……但如果我真的对拖拉机感兴趣，我之前就会说的。他是不是问得太冒昧了，我能不能原谅他？"先生，对不起！请你原谅我。"

胡安·胡安很快转过身，关上小货车的车门，对自己提起拖拉机的这件事感到十分后悔。他又走上前，垂头丧气地望着地面，难为情地晃着脑袋。我明白了，他又想道歉。

"胡安，你听着，"我笑道，"我才该向你道歉，真的很对不起，暴风雨和其他一些杂事害我把拖拉机的事情忘得一干二净。"我拍拍他的肩膀，向他保证道："没错，我真的想买台拖拉机。"

胡安毫不掩饰地露出如释重负的表情，害羞地笑着说："先生，你人真的很好。"他原先指望我和他联络、请他修房子的时候，我就会顺便问问他拖拉机的事，可我什么都没说。他心里嘀咕，我或许想先看看他是不是个言而有信的人，然后才能决定要不要做这笔交易。这很正常。

我很高兴，因为胡安·胡安的推理让他赶快把工作完成了，更重要的是，这年头有品德而不只顾拉生意的商人难得一见。我喜欢这个小伙子。我问他，到哪里才看得到他的拖拉机。

胡安向我解释道，跟所有在安德拉奇镇上居住、工作的人一样，他在城外也有自己的农庄。他的田地是岳父母留给他的，面积不是很大，一到周末，他也很喜欢在农场里工作和玩乐，像童年时代一样。山上空气清新，他每个星期带着孩子来，孩子可以无忧无虑地玩耍，体验祖先曾经的简单生活。这点非常重要。

我同意他的看法。后辈继承祖先传下来的农耕传统文化非常重要。值得庆幸的是，家里有片小小的田园，住在马略卡镇上的儿童就能过上无忧无虑的生活，有机会体验田园风光。真希望英国的传统也是如此。

胡安·胡安很惊讶地问道："你们国家没有这样的传统？"

"不可能有。"我答道，"在英国，耕作已经越来越工业化了。一般家庭很难依靠一小片土地生活。农民和自耕田都越来越少，取而代之的是面积较大、更有效率、更产业化的农场经营方式，农民也日益减少。大家都说这是进步。"

小木匠看起来非常难过。他说道，如果乡村没有了，如何称得上进步？土地上若没有代代相承的家族，乡下不过是个死寂而了无生趣的地方，就像沙漠一样。对那些继承农田的男人来说，不管你的田有多小，一听到孩子在田野嬉笑的声音，心中的那份满足与喜乐，远非拥有一千台有效率的机器能比拟的。

"所以我要买的拖拉机就在你的农场，那我什么时候能看看？"我一边走到他的小货车旁，一边说道。

他看了下手表。"要不要现在去？如果你腾得出时间，半个小时就够了。"

我连忙坐上他的小货车，沿着蜿蜒的山路前往卡普德拉村。山路下方，远处红瓦绿树的农舍和别致的果园小巧玲珑，宛如条纹布毛巾上搁置的火柴盒。

等我们来到主干道的最高点，胡安·胡安突然向右打方向盘，驶进一条狭窄的、崎岖不平的山路。这条山路盘桓而行，直入云霄。车子颠簸地爬行到一片松林，但见四周悬崖峭壁，岩石突兀，猛然暴发的特拉蒙塔纳山洪带来了大面积的泥石流，岩石滑落在陡峭的山坡上。我的耳膜开始鼓胀，小货车也咯咯作响，崎岖的山路让车子摇晃得非常厉害。

潮湿的芬芳气息和着清凉的山风从车窗丝丝滑入，空气中充满了浓烈的石楠花和松香的味道。高高的山峰就在眼前，一只红鸢顺着看不见的暖气流从山谷扶摇而上，然后张着翅膀静静地俯视大地。

"那是天空的统治者，"胡安·胡安指着翱翔在天空的红鸢，虔诚地说，"此时此刻，它正观看我们这些挣扎求生的人类，它挥舞着天使般的翅膀在上面翱翔，轻松自在。多么壮观！"

那时我在想什么呢？那鸢翱翔在空中，只是为了使那双犀利的、探照灯一般的眼睛，能够更加精确地定位到地面上某只肥美可爱的土拨鼠，这样它就可以迅疾盘旋、下扑，瞬间抓住食物，将它撕成碎片，当作午餐吞食。当然，总的来说，我必须承认，面对眼前仙山林海的经典画面，胡安·胡安那种传统拉丁人的浪漫解读方式，显然多一些悲悯。

我非常崇拜他既仁慈又充满诗意的观察力。"胡安，没错，这只鸟真壮观。"

"对，"木匠扭身去看车子后方，"如果带着枪，我现在一定把那凶残的家伙打下来，它一定就是上星期下来抓走我小女儿宠物兔的那只鸟。"

"天空的统治者也会饿的。"我也颇有哲学意味地回应。

"正确。不过森林里到处都是兔子，它为什么一定要吃我们家那一只？"

"胡安，真的很抱歉，我不该表现得如此麻木。我知道你女儿一定很难过。"

胡安·胡安面无表情。"先生，我们全家都很难过。那只可恶的兔子差不多已经可以下锅了。该死的鸟！"

他把车子停下来，打开前面挡住山路的木栅栏。这段时间刚好让我整理了一下他对大自然那令人难以捉摸的态度。

我们已经到达山路尽头。林中有一块空地，陡峭的山坡硬是被开辟成耕地。当我们把车子驶进这个偏僻的农庄，狭窄的梯田依附在山边，一如损坏的古代修道院，一阶一阶地爬高。深层的硬土挡住了雨水的侵蚀，小心翼翼地支撑着梯田的围墙。

农庄的房屋舒服地隐藏在山坡上端。它比通常见到的小石屋还小，靠着山墙，屋顶铺着褪色的泥瓦。你能很清楚地发现，胡安·胡安一家人对自己马略卡乡下的这个小地方非常自豪。前门和百叶窗刚漆上新的绿色，煞费苦心挑选出来的形状各异的奶黄色石块，按图案整齐地砌在伸出屋顶的烟囱上，镶嵌的防雨瓦如同帽檐一般。

与周围高大的山林形成强烈对比，这个偏僻的小农庄有点像微缩景观。纵横的梯田、田埂边围绕的杏树、橄榄树如同盆景一般，而四周的山峰却悬崖陡峭。这景观让我感动，没想到竟然有人愿意在这么偏僻的地方生活、工作，世代生存下去。以前没有现代运输工具，下山只能搭乘很不舒服的驴马车，而从山上步行到山下的村里，甚至要花上一整天的时间。

"我的小农庄很漂亮吧？"他笨手笨脚地摸到门上的挂

锁，问我。

"这里的一切都很迷人。"我回答。

胡安·胡安知道我只是客气，坦然地笑着，"先生，我了解。我第一次到这里时，也觉得这个偏远的地方不会有人来，我不喜欢四周那些阴森森的山峰，我在伊维萨从未见过这么蛮荒的地方。"他伸手一指，放眼远望那水光山色，颇有些触景生情，"现在，我会来这里欣赏这个距离天堂最近的地方，我喜欢这里，可以感觉到天堂之美。"

意识到我无法分享他对这里的崇敬，胡安拽着我的手肘，领我走到远处山边陡峭的梯田。峰回路转，眼前的景象豁然开朗，让我突然忘却了呼吸。

大地横卷，平沉入谷。我踌躇着走近梯田的边缘，凝视着涧底的无限风光。眼前的一切就如老玛丽亚·包萨所形容的一样。山谷里的小型农庄隐约可见，大都半隐在高处的斜坡上，或坐落在危险的峭壁顶端，四周围绕着一畦畦精致玲珑的梯田。昔日大多数的墙壁如今都已倾塌。

雾气仍盘旋在谷底，从这里我可以分辨出我们家微缩景观般的房子和其他建筑，从这种高度往下看，它和邻居家的农庄更相似了，但其实并不然。

向左边远方看，安德拉奇老区密密麻麻赭黄色的房檐紧紧依偎着教堂，隐没在山峦起伏的苍翠里。崎岖的山路延伸到海边。中午的热度驱散了远方潮湿的薄雾，安德拉奇港口山坡上的别墅零星可见，星罗棋布的白色斑点被周围的松树围住，湛蓝的地中海缓缓消失在地平面外。鸟瞰整个山谷，真是无比繁妙，景色令人赞叹。

"先生，你见过这种视角的景观吗？"胡安自豪地问道。

我必须承认我从未见过，只能报以艳羡的目光，久久无言。

"如果这就是能打动你的景色，你得夏天再来，那时才算美不胜收。夏日傍晚，我常站在这里，看着太阳缓缓下山，那里小镇开始亮起昏黄的灯，农田罩上一层淡雾。而我们这个地方还能看见阳光。冬天早晨也是一样，太阳从东面那两座山上升起，这儿的小屋是最早迎接阳光的。嘻嘻，几个世纪以来，把农舍盖在这里的人，当真是聪明的。"

我们准备回去了。

"这里的空气呀，"胡安·胡安深深地吸了一口气，又说，"哦！即使七八月山下热得让人受不了，这里的空气依然清新。不瞒你说，要不是我在安德拉奇镇做生意，整个夏天我都想住在这里！"身形瘦小的木匠突然停下来，摸摸我的肩膀，静静地说："告诉我，你听到什么了？"他静静地站在我身边，会意地笑望群山，一脸恬淡的惬意。

"这……我什么都没有听到，"我疑惑地回答，"除了一些叽叽喳喳的鸟叫声，另外还有微风吹过松树的声音，我没听见其他什么。"

"的确，离开大自然，这个农庄就只剩一片空旷，完全呈现她最原始自然的状态。但是到了周末，它会恢复人气：孩子的嬉闹、袅袅的炊烟、厨房传出的香味。我在田里一边忙碌着，一边享受这里的安静。这里宛若天上，好得难以言喻。先生，贵国的农业人口可真是不幸，他们再也无法享受到这些了，大农庄和农业产业化使人们脱离了自然。"

我顺从地点头，表示同意，悠闲地跟着他走回农房。

从这个地方往回看，那些小房子犹如一幅迷人的画，山上散发着世外桃源的静谧。坡上反射着暖阳的光，冬天北风劲吹，山坡又能庇护这个小农院。胡安说得对，当初选这个地方种庄稼、生活居住的人，真是聪明。

"我开始理解你的意思了，这个地方真的有些像天堂，只是，它这么偏僻。我的意思是，如果一直住在这里，孩子们如何去上学？"

"上学？"胡安笑起来，"先生，这里就是学校，山林、原野。也许父母会教孩子读书写字，也不一定。那时，这些都不重要。生存是唯一重要的事，学校不会教你如何在这种地方活下去。"

"但是人要怎么谋生呢？这里的土地这么少，丈夫如何才能和妻子维持一个家庭的生计？"

"先生，我也常在想这件事，但是我觉得，如果我们不用现在的标准去衡量，就容易多了……当然，除了钱以外，就只能靠大自然。以前人们可以放养一些鸡、兔子和山羊，如此就有牛奶和肉吃，这些动物都不需要消耗太多水。你生在这里就会知道。也许放一两头猪在林子里翻翻土，就可以长出一些草给羊吃。"胡安·胡安想了一下，"除此之外，人们还可以在林间的田地里种些小麦、豆子和青菜。那时，这里本来都是杏树和橄榄树。这些树水分需求很小，从土地中吸取水分就够了，不用额外灌溉。它们存活率很高，能适应这种环境。""它们需要的水分从哪里来？"胡安·胡安又说了和玛丽亚·包萨太太一样的话。"从天上来呀！雨水落到屋顶，再流到地下的水池，就像现在一样。"

"但冬天的雨水绝对不够一家人用一整年。"

"也许吧，要看那年冬天下了多少雨，不过，以前的人是通过山地存水，有些地方一年到头都有从石头冒出来的山泉，既干净又甘甜。山里人都知道这些地方好，当他们需要水，就拿着木桶或山羊皮袋去提泉水；他们甚至会修水渠，用石头砌条小水道，把水送到低地灌溉，或是在山谷中开设个小水厂。看，对他们来说，山就像朋友，在冬天可以提供柴火来暖身，还有吃的东西，像是鸽子、野鸡、野兔、山羊、蘑菇、野莓、香料、竹笋，以及最重要的水源。"

"但像工具或衣服呢？没钱的人怎么办？"

"朋友，安德拉奇镇每个礼拜三有集贸市场。所有这些都可以到市镇上去购买。如今安德拉奇的市政大街看起来只是旅游者的打卡地。可就在不久前，它还是这一带山民生活的贸易枢纽。东边天还没有放亮，山区的人就用驴车载着他们的货物到市镇贩卖了。用来交换的东西有鸡蛋、公鸡、老母鸡、羊羔、猪崽，还有那些森林里到处可见的天然食物。雨后初晴，或许能找到一桶或几只肥厚的老蜗牛，也拿来卖。秋天，新鲜的杏仁和橄榄到处都有，而那些随时间迁徙的歌鸫鸟，也能自然地钻进罗网，每年总有个两三百万只被捕到。歌鸫鸟，这可是马略卡的一道野味！"

"顺其自然。"

"是不是？春夏之季，男人要烧制木炭，全家都得搬到森林里，住在屋顶用树枝和茅草铺着的小石屋里，烧炭的时候劈很多的橡树枝和灌木，填上鲜绿的叶茎和新土，小心地用慢火熏烧成木炭。天然气开通之前，木炭是岛上开灶和取暖的主要燃料。你看，以前煤炭的需求量大，但赚不了太多钱。"

"顺其自然。"

胡安·胡安横指着北面戛拉左山塔尖般的山峰，"那是这儿最高的山。有些山民冬天常去做'雪人'。"

"马略卡的'雪人'？"

"是的，'雪人'，大家都叫他们'雪人'。他们开挖了一排排石头洞穴，当地叫雪屋。下雪时，'雪人'就把雪送到洞穴里，往下踩，直到把洞穴填满为止，然后盖上炉灰和苇秆，一直放到夏天。"

"然后呢?"

"然后,那些'雪人'会把压得很实的雪运到城里去卖,这些雪做成冰激凌或用来治病都可以。没有冷藏设备和冰箱以前,都是如此。顺其自然。"

"顺其自然。"

"所以你看,那些知道如何在高山农庄生存的人,就知道如何善用山林赐给他们的礼物。他们需要很多技巧,而那些山民,我敢说,他们的生活一定很苦。我们当然非常希望这些小农庄的传统还能继续保持下去,不过,幸好我只是把它当作一种乐趣。"

"以前的人也一定都是商人。"

"没错,他们要把自己的东西卖给需要的人,或是和别人交换,这就是一种古老的买卖方式,很有用。如果当天生意不错,他们也许会有些余钱拿着和朋友到酒吧喝上一两杯消遣,那些可靠的朋友一定会在天黑前,用驴子把他们安全地送回深山里妻子的身边。不错吧?"

"胡安,真是不错!事实上,记得以前在我们家乡的牲口市场,我曾经遇到过一些老农民,但是他们没有这么体贴照顾人的驴子,他们自己开车回家。不管是因生意好去庆祝,还是因生意不好难过哭泣,他们都自己承受。"

"市场上到处是这样的人,先生,直到有一天,我们发

　　　　　　　　　　　马略卡之冬:雪球橘

明了酒囊。"

"哈哈，这让我联想到'测醉器'，也就是酒精含量测算仪。胡安，我注意到你种了一些葡萄，"快到小屋时我提起这件事情，"那是要酿酒的吗？"

"不，不是。先生，我没有时间酿酒，我常光顾商场。"他指着屋前 L 形的葡萄架，"这些葡萄架是在外面用餐时遮挡阳光用的。另外，如果小孩没有把它们摘掉吃光的话，可以搁一些在桌上。不过，以前山上的居民会特地种些葡萄酿酒。先生，除了养猪，酿酒当然是他们一年中最愉快的工作。"

"理所当然。"

"再说，有了酒，就有白兰地，你只要有一个蒸馏器就行了，对不对？"

"你的意思是说，他们在这里非法酿酒？"

"非法？"木匠耸耸肩，手掌向上一摊，"先生，只有查得到蒸馏器才能证明他们犯法。据我所知，这里从来没有私自酿酒的事情发生。"

我得意地笑着，"而且，我想现在马略卡没有任何私酒加工厂可以生存，是吧？"

胡安·胡安不好意思地看着他的脚，"当然喽，他们说，官方的人都太精明了，但是，有一个住在山上农庄的老家伙，他对每一条上山的路都清清楚楚。每个人都知道，他常常喝得烂醉如泥，浑身都是白兰地的味道，老远就可以闻到，可没有人目睹他买过一瓶酒，从来没有。真是不可思议，不可思议吧？"

"胡安，真是不可思议。也许改天我们可以一起解开这个谜题，这一定很有趣。"

我看看表，胡安·胡安估计我们只要停留半个多小时的，可距离他做出的估计已经过去一个多小时了。

"好吧，我知道你很忙，"我坚决地表示，"所以我们最好赶快看一下你的拖拉机，好吗？"胡安立刻打了个响指，急忙钻进暗黑的屋子，不一会儿，他就推出老豪梅那台拖拉机的孪生兄弟：一台两轮的手扶拖拉机，就像刚出厂的时候一样光鲜亮丽。

"先生，请，"他吐了一口烟，"现在是否可以请您帮我取出拖绳和其他工具？"

我们把拖拉机推到外面。很快我就发现，那把可以更换的犁基本上没有用过，金属很新，油漆和轮胎一点都没有弄脏，红白相间的外观没有一点污渍。

"先生认为如何？"胡安·胡安小心翼翼地问，呼吸急促地期盼着我的回答，"我的拖拉机，十成新！是吧？"

我轻轻抚摸着这台洁净的小东西，从每个角度仔细检视，竭尽所能地不让胡安看出我的激动。胡安在我后面紧张地走来走去，积极称赞着每个部件：排挡、动力输入轴、飞轮、连接器、内燃机……

"好，胡安，"我打断他，不想加深他的忧虑，"我很喜欢这台拖拉机，这可能就是我想要的那台，只是有一件事。"他的脑袋耷拉下来，把手按在心窝，然后结结巴巴地说道："我跟你保证，这台拖拉机是最好的，我三个月前才买的，你看，这里还有收据，我只开过几次。它绝对是最好的，我想卖掉它是因为我发现在陡坡上，四轮驱动的比较好用，抓地力比较强，而且……"

"而且少了把座椅？"我直截了当。

胡安·胡安一开始不知道怎么回答我，后来才恍然大悟，原来我知道了他是因为懒惰所以才想要一台四轮驱动的拖拉机。他于是顽皮地戳了一下我的胸膛，就像小男孩放了只雪貂在美丽的美术老师的裙子上，却没有被惩罚一样。

"胡安，没关系，"我习以为常地对他一笑，"我是真的想要你的拖拉机，现在唯一关心的是价格。"

"价格！我相信两个绅士要达成共识是没有问题的。"他满怀希望地笑着，颤抖着的手打开收据，"你看，这是我买拖拉机配件的发票，除了这个，我还写下了我想卖的价格，绝对按原价的三分之二出售。"胡安慎重地点了点头，"这个价格很合适，是不是？"我还是无法用比塞塔估算出物品的价值，于是在心中暗暗地将它换算成英镑。我预估这大概比店里卖的省了两千多英镑。

"的确是非常合理的价钱。"我很快表示同意，抓起木匠的手爽快地答应了他，我很喜欢和这种男人做生意。

"啊哈！很好！很好！"胡安·胡安高兴地笑着，大力地摇晃我的手，然后拍拍我的脸颊，因为即将拥有一台豪华的四轮拖拉机、最重要的是那张座椅而双眼闪闪发光。

撇开所有杂事，木匠坚持要把拖拉机和挂车开回"市长府邸"。他请我开他的货车在那里等他。

出乎意料的是，我开车回到家，发现后院熙熙攘攘，好不热闹。锯木场的那人牵着驴子，赶着一车的木头在里头，孩子们正奋力把这些木头堆到仓库里，艾莉站在靠墙的梯子边喊着什么，老佩普重心不稳地扒在上面，手里抓着一个小麻袋。

"哦！感谢上帝，你终于回来了！"我走下货车时艾莉叫道，看来她正受困于此，"也许只有你才能明白这个老疯子要做什么，他正好跟在那群伐木工后头进来，对我发了一大堆有关防火防灾的牢骚。他一直在看上面的屋顶，我不懂这里有什么蹊跷，孩子们也帮不上忙。他们一发现西班牙语说不通，就跑去卸木头，像一对海狸一般勤奋。我这辈子恐怕还没看过他们如此麻溜地跑去干活。"

"好了，不要慌，我来看看怎么了。喂，佩普！早安，上面有什么问题吗？"

"朋友，烟囱有大问题！"老佩普大声喊道，他松开扶着梯子的手，在上面晃来晃去，用力指了指烟囱。

"烟囱怎么了？"我答道。

"怎么了？会失火！要不是发现得早，你就大祸临头了。大灾难！你知道吗？"

"啊，我以为什么都——"

"什么？什么都没有！没一样好东西，没人来管！"佩普咆哮着，"我告诉你吧，别管那些废物了。我昨晚在那边放羊，往这边看了看，火舌像登月火箭一样从你们家的烟囱里喷出来了！"

"啊，你是说，下次生火前，烟囱要先打扫干净？你是这个意思吗？"

佩普两臂平伸，眼望天空，在距地面二十英尺的地方重心不太稳地画了个十字架，像是在用马略卡语恳求上帝，为我这个什么都不懂的外国疯子祈祷。我们的老邻居现在想和我谈论的可不是什么琐事。

"完全正确！"他终于喊出来了，"这个烟囱一定要好好打扫一番，我一定要替你做完这件事，只是你太太不照我的意思做。我像个屁股戳在竹竿上的青蛙一样在上面晃悠着指挥，她就只会站在下面喊：'什么？天哪！'"

"好吧，佩普先生，我真的很抱歉，她只是不懂西班牙语，你知道的。你告诉我，你需要什么，我会尽我所能地帮你，好吗？"

佩普深深吸了一口气，然后尽力平静地一字一句念出他要求的物品。他大声地喊着要我去拿些旧床单挂在壁炉上面。这很重要，不要留任何空隙。要把床单平稳地搭在壁炉上，因为一会儿可能会有很多烟灰掉下来。如果床单挂不稳，炉灰会飞得满屋子都是。确定好了马上做，这样他就可以很快动手，不能耽误他做自己的事。

"但是，其他用具怎么办？"我问，"你看，你还要刷子、绳子、吊锤以及其他一些物什，如果你能告诉我哪里可以找到这些东西，我去拿给你呀。"

佩普吐出一串听起来像是咒语的话，接着一阵咆哮，"你把床单什么的照我的话弄好就成！你说的那些工具我袋子里都有！明白了吧！"

我赶紧照老佩普的吩咐进了屋子，艾莉匆匆忙忙地跟在我后面。

"到底怎么了？"她一边喘着气，"他脾气真不好，是吧？"

"是没错，不过，他真的是为了我们好，才会坚持立刻打扫烟囱，如果他不这么做，我们可能会引起一场火灾，一场灾难、大灾难！"

"那也是费雷尔先生忘了做的工作吗？"

"很可能是，在老佩普大发雷霆之前，我们最好赶快找些床单挂在壁炉上。"

艾莉帮我挂好这些东西后，我跑出去告诉佩普我们都准备好了。

"老佩普，里面都收拾利索了！"我大声地对他喊。

我不安地看着老佩普踩着梯子爬上涂了沥青的屋顶，在滑溜溜的瓦片上，看不出一点害怕。他把手伸到屋顶的最尖端，将一条腿跨上屋脊，坐在烟囱前。他小心翼翼地把麻布袋的开口套在烟囱上，往下向我喊道："好了，进去把那些床单封好，我要开始了！小心下面！"

"艾莉，小心！"我大声喊，"小心那些烟灰！现在要往下掉了！"

我们听到烟囱上头传来一阵十分刺耳的尖音，夹杂着佩普低沉粗哑的咒骂声。

"他扫烟囱的工具一定出问题了。"我尽量保持沉稳的声调，生怕艾莉再生烦恼。

紧接着是一阵紧张的骚乱，声音更尖锐，佩普的咒骂也更加粗暴。一团乱糟糟的声音混合在一起：打碎东西的声音，滑擦声，还有捶击声。

"那个疯老头到底在干什么？"艾莉紧张得喘不过气来，全神贯注地看着屋顶，"他要把屋顶拆下来？"

很快，一层层烟灰开始剥落，打在罩着的床单里面。

"现在没事了。"我拍拍艾莉的手，"佩普的清扫工具起作用了。我只希望这些床单不会出什么差错。"

一阵狂乱捶打刮擦的声音不断从烟囱里冒出来，佩普往下清扫烟囱的声音越来越大，听起来像是在清理一堆沉重的灰烬以及零星的小石块。

"他一定是用了什么机械装置，"我紧张地想着，"这个狡猾的老魔鬼！"

艾莉无言以对。

佩普的机器一会儿吱吱叫，一会儿又噼里啪啦地响，神秘的敲打节奏慢下来了，那尖厉的机器声也沉寂下来，我们想最后一批烟灰应该都被敲掉下来了，现在只剩下"嘎啦、嘎啦、嘎啦"的动静，接着是一片死寂。床单里头，不再有任何声音。工作结束了。

艾莉和我面面相觑，跪倒在地，都有点吓着了，说不出话来。我们听到屋子外有脚步声，开门一看，老佩普喘着气进来，嘴角叼着一根烟，烟头闪着火花。

"快一点！"他气急败坏地吐出一句话，走近壁炉，把罩在上面的被单拖到一旁，"得赶紧把这该死的东西弄出去！把这些破玩意儿打扫干净！赶快！"

阳光从开着的门照射进来，在壁炉上方依旧翻腾着的炉灰上割开一道镰刀状的条形带。光影里，佩普匍匐在地，狂躁地在烟灰堆里摸索着什么。

"终于抓到你了！你个肮脏的王八蛋！"他咆哮着，两手抓着清理烟囱的工具，用力地把烟灰抖下来，"你这个滥货！这次绝不再给你任何捉弄老佩普的机会！"

突然，艾莉喉咙里发出令人心惊胆战的尖叫，打断了佩普正要继续的辱骂。

"你看！"她害怕地喊着，"他手里那东西！它在动！"

我凑近一看，那是堆黑漆漆不知如何形容的东西，可以确定的是，它真的在动。虽然很轻微，但它真的在动，透过炉灰，它似乎还在对我眨眼。是个活物！

"耶稣啊！"我喃喃地道，"真不敢相信，老佩普扫烟囱扫出来一只……"

"等一下！"艾莉打断我的话，硬要往前瞧个仔细，"不，这不会是——"

"噢，是的！"

"你不会是说——"

"是的，一分钟前我们听到那'咕咕、咕咕、咕咕'的响声，就是——"

"啊？不会吧？我听到的是'咯咯、咯咯、咯咯'的声音。"

"是的，这老家伙用母鸡当扫帚清理烟囱！艾莉，他在我们的烟囱里塞了一只活鸡！"

艾莉真的吓坏了，她慌张的眼神没有逃过老佩普鹰一般的眼睛，老家伙露出一排墓石般的黄板牙，得意地笑着，把他那只脏母鸡丢进布袋里。

"别担心，夫人。"他低声对艾莉说，"这鸡不想完成打扫烟囱的本职工作，想逃走。这让我在上面的工作变得困难不少。但是，平心而论，母鸡的这种态度通常是最奏效的。正是它那大幅度的拍翅和钩爪让它得以完成这个似乎很难的任务。实际上，这只勇敢的母鸡，它成功了！"说着，佩普在胸前画了十字。

"不，不。"我平静地抗议，"我们不怀疑你是清理烟囱的行家，我太太担心的是你的母鸡。"

佩普举起空着的那只手，神气地摇了一下麻布袋，"无须担心母鸡安危。它早已不会下蛋。"

艾莉不敢相信地屏住呼吸。

"不，佩普，我想你不了解，"我继续说道，"我太太只是担心这只母鸡，不是问它还能不能下蛋，我是说，它被丢下烟囱，一定吓坏了。"

"唉！女人总是这么想。"佩普嘲弄地说，"也许会造成点瘀伤，但那又怎样？只消在锅里炖一天就好了，对不对？"

"你不能……你不是认真的，它经历了这一切之后，你还想扭断这可怜小东西的脖子，然后……然后再把它煮成……汤喝？"艾莉紧闭的牙齿发出嘶嘶的哀鸣。

意识到自己的表演真的惹恼了艾莉，佩普在她面前挑衅地扬起麻布袋，吹嘘道："这只笨母鸡不懂事，我那儿有一只好色的老公鸡，能帮我吸引母鸡，它很喜欢这份工作，并擅长此道。"

佩普爆发出一阵大笑，连眼泪都出来了，脸色青紫。奇怪的是，他的烟自始至终都稳稳地夹在唇角。

我想这惊人的狂笑，是老佩普在试图转移注意力，以免激怒艾莉。还好，查理适时地走进厨房，化解了这场即将发生的冲突。

"那个木工想要在这儿吃晚餐。"他说道，"而且，还有一个年轻人，他坐着一台十分古怪的没有马拉的车子来了。老爸，你最好快点来看一看，那家伙看起来不太好。他一直晃晃悠悠地站在那里，嘴里不断嘟囔着'白兰地'。"

可怜的胡安·胡安吓得额头冒出一颗颗的汗，眼睛圆睁，双脚直打战，脸上的颜色刚好和一旁素雅的小黄花相配。那些花垂在含羞草旁，长得十分繁茂，毛茸茸的，聚成一簇簇小球。

"胡安，你不舒服吗？"我赶紧问他，"你要我为你做什么吗？要来一杯水吗？"

"不用，不用，"他结结巴巴地说，"我不需要水，谢谢。白兰地，我只要白兰地，对不起！请给我白兰地！"

查理早就预料到这种紧急情况，手里已经拿了一瓶芬达多白兰地。我如同医生配药一样酌量倒了一杯，然后帮他把那双颤抖的手握在杯子上。

"胡安，喝下这个，会好点。"我很关心地说。

这可怜的家伙唯一能做的，就是把杯子凑到嘴边，努力不洒出半滴浪费在地板上。看到胡安惶恐不安，我也有些紧张，所以我决定把查理倒给我的酒喝了。

"胡安，干杯。为了你的身体健康，来，为了健康！"

"为了健康！先生！"胡安摇摇晃晃地端着杯子，一口就喝完了，吸吮的声音让我想起小牛从桶里喝奶的状态。不可避免地，他洒出一些酒花，落了些许在嘴边，流下来形成一条金色小溪。他真的受到了很严重的惊吓，我又给他倒了一杯白兰地稳定一下情绪。

那个卖木柴的人很快就加入了我们。他是个木讷寡言的胖子，一头杂草丛生的头发，两条粗眉毛像黑色毛毛虫一样挂在额头上。

"我想胡安·胡安可能生病了。"我告诉老佩普，"不过，大概不很严重，我想他待会儿就好了，不用担心。"

那两条黑色的毛毛虫在鼻子上方刹那拧在一起。他哼了一声，眼睛盯着白兰地酒瓶。胡安怎么样，他显然毫不关心。

"你要不要来杯白兰地？"我有点多此一举。

毛毛虫跳跃起来，"哼"了一声表示赞成，然后大方地端起我手中的高脚杯。

"老佩普，你要不要来一杯？"当他从屋里提着他那只母鸡缓缓地走来时，我便大声地问，"你要不要来一小杯白兰地，清清嗓子？"

"我从不碰酒。我只喝水。"

"那请便吧。"我有一点意外。基于某些原因，我一直把佩普视为酒鬼，没想到，他却一脸嫌恶地看着木柴贩子大口大口地喝着白兰地。

这家伙喝完我的白兰地，随意把空玻璃杯丢在地上，然后打了个嗝，额头上的毛毛虫舒缓了些，变成一块黑色的门帘盒。他静静地拖着脚步，去前面找他的骡子。

"他真可爱，对不对？"查理说，"那个家伙发散魅力的时候，肯定是用错地方了。我想他的骡子肯定也领教过。"

"哎！他可能只是今天状态不佳。"我说道。

"是啊，状态不佳。每次妈妈付钱给他时，他从不说话，只是一元一元地数着他的钱，没说过一句'谢谢'。我和森迪以为他会给我们点帮忙的好处费，可一点都没有。毫无魅力的傻瓜。"

"查理，听着，我们必须面对现实，有些人不习惯和别人交谈，但是，你别忘了，我们在这里是外国人，所以先不要给人家定罪。他今天只是不在状态罢了。试着去看别人身上的优点。这才是应该做的事。"

查理不以为然地怒目而视，然后非常不爽地跑去找森迪，森迪正在测试胡安的手扶拖拉机，一副难以置信的表情："老爸一定疯了，他难道真的要用这个不能上路的两轮椅子代替真正的拖拉机？"我听见森迪跟他弟弟嘀嘀咕咕。

我假装无动于衷，把注意力又一次转移到木匠身上，他恢复了常态，第二杯白兰地下肚，情绪基本上控制住了。我注意到，这次他一滴都没有洒出来。这是个好现象。

"胡安，你刚刚看起来很不舒服。"我评论道，"你是不是吃坏了肚子？"

"今天一点东西没下咽，感谢上帝，否则下山时我一定会吐出来。"胡安凝神思索，脸色苍白。

怕他再次陷入紧张情绪，我又给他倒了一杯。

"啊，先生，谢谢你。"胡安低声说着，他那握着杯子的手只剩下了轻微的颤抖。治疗方法在慢慢生效。

老佩普又点了一根烟，他的口水刚好吐在含羞草上，他靠着胡安的小货车等着聆听三杯白兰地所带来的灵感，看这木匠怎么解释自己的问题。

"上帝啊，"胡安·胡安叫了出来，他坐在挂车的挂钩上，一只手有点过于夸张地扣住额头，"我从没这么怕过。你们知道吗？以前我从没在大马路上开过拖拉机。先生，这辆两轮的手扶拖拉机没有刹车，它只有离合器、油门和传动装置，你必须站起来用脚刹车。不加以训练的话，这是一项非常高难度的技巧。"

"那是拖拉机的问题，"佩普不屑地插了句嘴，"因为它听不懂'吁——'这个命令！"

木匠不以为意。"从农场下山的那段路真是糟糕透了。"他表示，"我用一挡的速度，慢慢地驶过路上颠簸又坑坑洼洼的地段。你知道吗？真的很恐怖。那段路晃得我头都晕了，有好几次差一点就要翻车，还好我都控制住了。车子到了大马路，我想换二挡，让车子跑快一点。在习惯平整的大马路之前，我一直都很小心。有个大拐弯。之前我已经熟悉了路况。"说着，他又把杯子送到嘴边。

"鬼扯！"佩普咕囔着。

"就在这个时候，"胡安打了个冷战，"我犯了个严重的错误，这个错误让我失去了控制，我这条小命差一点就没了。"

"什么错误？"佩普问道，他的头向后倾，贝雷帽下一双阴郁的黑眼睛半睁着，一脸怀疑地看着木匠。

胡安·胡安喝下一大口白兰地，面部严重扭曲，全身抖得厉害，不时抽搐一阵子，若不是惊悸未除，就是空胃受了白兰地的刺激而痛得很。

"哎，好点了，"他咳了一下，"我想我差不多又可以控制住我自己了。"

"木匠，赶快，"老佩普打了个哈欠，"赶快说，你到底犯了什么严重错误？"

"朋友，你一定不会相信，"胡安·胡安严肃地透露，"我准备挂二挡，结果挂错了，竟然挂到该死的最高挡，老天爷，我手一离开挡位，拖拉机突然加速，快得比——"

"比犹太人扯包皮还要快？"佩普拉长声调说。

"甚至还要快，"胡安激动地说着，完全没有注意到佩普在嘲笑他，"你知道吗？我就像子弹般射向那条路。我一点都没有办法慢下来。拖拉机还在下坡，还有拖车的重量，我不可能换成低挡，用脚刹也没用……就算我能找得到的话。"

他的脸又开始扭曲，握着白兰地的手又开始抖得很严重，一切好像都没有用了。有远见的查理已经把白兰地安全地拿回厨房。胡安·胡安得靠自己来控制自己了。

"我的天，"他激动地尖叫了一声，然后继续说下去，"那条U形大拐弯，两边都没有安全护栏，从那里到底下的山谷绝对有五百米，耶稣基督！圣母马利亚！"他大声地嚷嚷着，痛苦地寻求基督圣灵的支持，希望祂能像保护那些不幸遇难的死者一样保护他。"我以为我就要去见上帝了！遇到上山的游览车时，我正在特拉蒙塔纳花园别墅上方车道的拐弯处。我闭上眼睛，如同有了超自然的力量，拼命把手把拉向一边，向上帝祷告。你知道吗？当我以最快的速度横冲过去时，游览车上的游客们都惊慌失措地尖叫起来。"

"真是令人难以置信！"佩普低声说道，眼皮都不眨。

"等我睁开眼睛，哇！拖拉机左侧的轮子和后面的挂车都离开了地面，飞在空中。我还能看到车子下方特拉蒙塔纳花园别墅里的人在逃命呢。我想要是车子转得不够快，它一定会飞出去，我就没命了。我之所以还能保住这条命，完全是因为离心力。嗯，还有神的力量。"胡安望着天空点了下头。

"那你到底怎么把车停下来的？"我问道，静静地为胡安经历的神迹祷告。

"唉，没有，朋友，不可能停下来。地心引力拽着我越来越快地顺着路下行，每个角落都是恐怖的梦魇。在每一个拐弯，我都祈求神的保佑，控制住拖拉机的手柄。我向圣母马利亚祷告了不下百次。相信我，一直到了你家门外巷口的那一片地方，拖拉机慢了下来，我才终于把车子停稳。当时有一股神奇的力量使我离开主路，进入巷子。我以可怕的速度冲下山去，我以为我一定会冲过这条巷子，直接冲进安德拉奇镇。你可以想象，这样一台带着挂斗却刹不住闸的拖拉机冲上安德拉奇镇的主要道路会造成怎样严重的后果。圣父啊！大屠杀！一片血海。剧痛。死伤惨重！"

"胡说八道！"佩普严厉地说，"我在屋顶上看你从山上开下来。上面视野很好，你开得那么慢，连我家年岁最大的骡子不流汗都追得上你。你这故事纯属胡编乱造！你只是想骗点白兰地喝，对不对？"

"我胡编？你什么意思？"胡安·胡安气急败坏地说，"你才是胡说八道！世界上没有哪只骡子在那种坡度上能追得上我的拖拉机。当时一切都无法控制，而且——"

"对，完全无法控制！要是骡子就不会发生这种事情。给我骡子就行，拖拉机你自己留着用。"老佩普开始集中火力反击，"骡子可以为你工作一整天，还可以给你免费的粪便做上好的肥料，拖拉机却要花一堆血汗钱去买油。"

胡安·胡安努力站了起来，保持安全距离，壮着胆子望着佩普。"别跟我说什么骡子大便！"他声嘶力竭地喊，"谁要你的骡子大便？如果你跟我一样，为了那台该死的拖拉机一路奋战下来，我想你裤子里的大便一定比骡子一年攒的还要多。"

才刚恢复了精神，温文尔雅的木匠又大发雷霆起来。

佩普神情非常愉快。他刚就母鸡生命权利的敏感问题成功激怒了艾莉，现在又在胡安·胡安面前挑起了"骡子还是拖拉机"这永恒无解的乡野争论。他真的高兴坏了。

幸运的是，艾莉在佩普掀起另一场冲突之前就回到后院了。她手里拿了一袋原汁鸡汤块。

"这是我的一点心意。"她用英文说，塞了一袋东西到佩普的手上，"请不要伤害那只母鸡。这些原汁鸡汤块可以煮比那只母鸡还要多的汤，你还不用拔鸡毛，所以，请你放了那只可怜的母鸡吧。"

佩普看着那袋鸡汤块，淘气地笑了笑，叫了声："夫人。"他完全了解艾莉是那种讨厌别人叫她"夫人"的女人。"我才不要用这种东西毒死自己呢。你的那些便利的现代食品，全都是化学品。我不会用化学品施肥，也不会把这种东西吃到肚子里。"他停了一两秒想了一下，露出一脸担忧的笑容，灵机一动，"再说，我也不会让我的动物吃那些化学品。它们很幸运能有我这样的主人，对不对？举个例子，我家的狗肚子里如果有蛔虫，我可不会到兽医那里拿药给它吃，不，我绝对不会让我的狗吃那些脏东西。我有一种古老的治疗方式，我只要每天放一点蒜在它的食物中就可以了。大蒜的杀菌效果非常好，它可以把狗肚子里的蛔虫全部赶出去，甚至比母鸡清洗烟囱还干净。"

艾莉一脸迷惑地看着他，但即便佩普说的她大多听不懂，她也本能地讨厌他，不管他说些什么。

"啊，太太，我看你一定搞不清楚，"佩普以一种可疑的亲切语调说，"你一定不知道我如何让不喜欢大蒜的狗把大蒜吃下去。如果狗把食物吃光却把大蒜留下来，我该怎么办呢？就像那些聪明的医生开的花式现代药方一样，我把大蒜……"佩普把假想的大蒜放在右手中指的指尖上，"然后直接把大蒜往狗的洞里，一推！"他的手指在空中比画着，然后扯着嗓门嘿嘿地笑着说，"是栓剂，对吗？"

艾莉的脸颊一阵潮红，表示她可能明白佩普最后那句话的意思了，森迪和查理更是哄堂大笑起来，至少这么下流的西班牙俗语他们学得很快。胡安·胡安非常尴尬地看向自己不安的双脚，这回轮到我咳嗽了。

老佩普高兴得不得了。他绝妙的应对已让所有人折服，不管是以怎样的方式，所以他现在可以做一些适合他演戏大咖这一公认身份的慈善行为了。

他挺起胸，拿起麻袋，"太太，谢谢你的建议。"他用手推了一下贝雷帽，以新学会的方式致意，"用你的鸡汤块来换这只老母鸡很公平，不过，我必须解释一下，我不习惯用这种东西。"佩普把那袋鸡汤块还给艾莉。"不过，"他推脱道，"我是有同情心的人，也是个好邻居。我把这只老母鸡送给你。我知道你一定会好好对它，你可以告诉大家，你们家第一个家禽是我佩普本人捐赠的，我可是个慷慨的绅士。"

艾莉目瞪口呆地站在原地，手里抓着咯咯叫的麻布袋，而佩普则大摇大摆地走向自己的农庄，去处理更重要的事情了。出门前，他向上挥舞着手中的贝雷帽，像个绅士般地离开了。

"老家伙，"胡安·胡安低声地抱怨着，"每次碰到这只老山羊，他总是嘲笑我，我老是中他的计。没有例外。这个疯家伙！"

"对，他真的很喜欢捉弄人，"我同意，"显然，他外表看起来很粗鲁，不过，他还是有温柔的一面的，你说呢？"

胡安勉强地点了点头。"是的，我承认。佩普想做什么的时候，他还是会很努力地去做。只要你跟他打交道，你就会发现，如果他有两个硬币，其中一个比较旧，他一定会把那个旧的拿去跟银行换个新的。不过，他是个热忱厚道的人，这不可否认。因为如果他只有一个硬币，只要你需要，他会很乐意把那个硬币给你。佩普的确是个很有同情心的人。"

我沉思了一下，回想起圣诞节买木柴的那件事，他真是

马略卡之冬：雪球橘

个固执的怪老头。毋庸置疑，去了解佩普传奇的一生一定很有趣。然而，当下着急的是，要赶快完成三个小时前和木匠达成的预计只要花半小时的交易。

我直接切入主题："胡安，我耽误你的工作太久了。我想我还是赶快把拖拉机的钱付给你，不能再占用你宝贵的时间了，我开支票给你，好吗？"

他漫不经心地挥着手表示认可：好，好，开支票，很好。我必须写明是"不记名支票"，不能留他的名字。写"见票即付"，那么收税员就查不到了，我是这么理解的。这些收税的强盗比欧西法尔吸粪的管子还要贪婪。如果他卖掉拖拉机，他们只会想知道他怎么会有钱买到这东西的。算了，生活已经够麻烦了，不要再陷入个人所得税的麻烦里了。直接把支票简简单单地开成"不记名支票"就好了。这样比较公平，对厂商也好。

胡安·胡安显得很默契地向我眨了个眼，把支票折好，小心翼翼地放在鼓鼓的皮夹中。他说，最好不要让政府太清楚你的财产状况，他开玩笑地捣了一下我的胸膛，开怀大笑。我们全都陶醉在白兰地的芳香之中。他上车前依次和我们每个人都握了手，才开着车离开我们家的院子，同时兴高采烈地对着我们大声地喊谢谢，再见。

然而，对于这十二月月底的一天，我印象最深刻的是那只咯咯叫的母鸡，它非常生气地抗议艾莉在厨房水槽里清洗它翅膀下的煤灰。嘈杂的叫声使得当初硬被塞进烟囱时的叫声不值一提。

艾莉这么辛辛苦苦、充满人道主义地替母鸡考虑，得到了什么？等她终于勉强把这咯咯叫的老母鸡清洗干净，用吹风机吹干，放在西侧阳台上摇椅下那个舒适的窝里时，这只忘恩负义的东西高傲且疑虑地眨着眼，轻蔑地将鸡粪喷向艾莉，接着便拍打着翅膀匆匆冲向大门，就着昏暗的灯光，跑回它觉得更加安全的老佩普的地盘了。

— *8* —

柑橘销售、拖拉机试验及啮齿动物食谱

"你看安德拉奇，"艾莉喃喃道，"每次看到它，我总是震撼于它的华美。这么壮观，简直有点不真实，就像史诗电影描写的一般。房子散聚山下，场景几乎跟《圣经》里的一样。我想我永远都看不够。"

艾莉发出这番感慨的时候，我们正开着车攀上帕尔马公路的最后一个陡坡，准备回家。在那之前，我们沿着滨海公路到佩格拉，多走了一小段路去拜访老豪梅的朋友赫罗尼莫先生。他是个果商，因此毫不犹豫地答应会尽快来看我们的橘子。赫罗尼莫很熟悉我们的果园，说话时露出一个肯定的微笑：先生，是的，是的，没有问题。赫罗尼莫相信他一定可以买下我们大部分的水果。他要来检验这些水果的质量，然后定一个彼此都能接受的价格。当然，这一切只是走个形式。

我们实在太高兴了。事实上，我们觉得我们是世界上最快乐的人，每一件事到最后似乎都落实得干净利索。

那台体形娇小的拖拉机曾让森迪大失所望。这可是我们唯一的耕地工具。我们刚出发前往佩格拉，他就急忙把犁装上，准备翻动那些杂草丛生的田地了。

"我们可以看一看这台米老鼠机器是如何工作的了，"他抱怨地说，偷偷将拖拉机引擎上沾着的几乎看不清的油渍用袖口擦掉，"总得有人做这事。尴尬至极！"

显然，森迪打算学习并掌握这项基本的西班牙农业劳作，以他自己独特的方式。

这时，查理和他在村里刚认识的朋友托尼，（"为了一点点钱"）主动来帮忙捡橘子。可是一到果园，他们就把篮子和大剪刀丢在地上，这两个坏模坏样、不像工人的家伙就隐匿在一株老橘子树后面了。一会儿，树上就传出少年大声的喧嚷声，彼此说些不正经、相互嬉戏的话。

显然，查理打算学些西班牙的基本对话，也以他自己独特的方式。

艾莉和我都很快慰，儿子们开始了他们的新生活，从佩格拉回来的途中，心中顿添了几许幸福愉快的感叹。

"来杯咖啡吧？"我问。

"别问这种傻问题。"艾莉笑着说，一只手时髦地调整着她的太阳眼镜，另一只手拍拍我的膝盖。

胡安·卡洛斯一世大道是几乎贯穿整个安德拉奇镇的主干道，冰激凌店托内塔之家就位于这条路的尽头。从外面看来，它和别的店家没什么不同，路人行色匆匆，一晃而过，不会扫它第二眼，但这是艾莉最喜欢喝咖啡的地方，并不是因为比镇上其他店的好喝，而是像她说的，店里某种气氛特别好，不像其他店被玩牌的家伙搞得烟雾缭绕，报纸乱丢，一片嘈杂。那天早上当然也不例外。

我们在空旷的房间坐下，等着服务人员，赞叹着四周的一切。这个冰激凌小店曾经是镇上的舞厅。那位自负的老板博内特先生表示，虽然沿岸有很多迪斯科舞厅取代了一般人对这种高雅舞厅的需求，但他还是决定保留舞厅原来的荣耀。毕竟，在甜美的萨克斯、小提琴、钢琴以及鼓声中，那些拥有高尚品味的客人曾在此旋转、跳舞，留下身影。

他耐心地等候过去的全盛时期再度归来，关闭了大半个舞厅，用布帷遮住梁柱间那几排用来支撑天花板、带装饰作用的拱梁。

球形的枝状吊灯和古色古香的天花板吊扇伸进房间，像颇具异国情调的钟乳石一般。挂着帷幕的舞台前端悬挂着一排旧式照明灯。如今，安静的乐池一片漆黑，只有附近男洗手间的标志还亮着那忧愁的绿光。

华丽织锦坐垫的橡木椅曾经成排靠舞厅墙壁而放，男士在一旁，女士在另一旁，便于互选舞伴。现在那里则摆放着白色塑料桌，虽然实用，但在周围一派巴洛克装修风格的衬托下，显得格格不入。

入口的一侧现在放了一台闪着亮光的弹球机，召唤着往来的高手。走进去，对面的吧台上展示了许多电器用品。不断闪光的电动玩具，每隔几分钟就会打断周围的宁静，发出一阵游乐园合成音乐。两个比肩而立、高大的玻璃冰柜里面摆着令人着迷、品种齐全的马略卡特制冰激凌。

那个吧台占了舞厅一边的大半，显得相当整洁，乍看之下，好像有些不够开放，但仔细观察，就会发现任何一个可利用的空间都放着多余的酒瓶。这里曾用来摆放薯片、点心、罐装橄榄、沙丁鱼、小牡蛎、当地称为"屁股"的一种怪味小吃、塑胶打火机，还有一些价格便宜的手表。在吧台这些瓶瓶罐罐中间，放着圣母马利亚的雕像。如今，它竟然备受一个奇异电子钟的威胁，那个电子钟上雕着神圣的徽章，还贴有马德里足球队的团体照。时代真的变了。

然而，艾莉毫不在意地略过这些东西，把目光锁定在吧台尾端的玻璃橱窗内，特别是那些令人垂涎三尺的螺纹甜面包，还有诱人的水果。"瞧那可口的樱桃派，我一定要吃一口。"她流着口水说。这时，博内特先生正好从店后面走出来。

他是个见了能让人感受到快乐的人，挺着大肚子，一头光亮的黑发，粗粗的眉毛。整体而言，他看起来十分亲切。事实上，博内特先生眉毛倒竖的样子非常风趣幽默。

我给艾莉点了一杯咖啡，没有加糖；我要了一杯啤酒。博内特先生彬彬有礼地问我喜欢哪种牌子的啤酒。我习惯性地问他有什么牌子，他很客套地答道："先生，金星，非常抱歉，我们今天只有金星啤酒。"其实，他一直以来就只提供金星这一种牌子的啤酒，这对他而言好像没什么关系。让顾客自己选择，他至少也尽到了应尽的礼貌，如此才配得上他这个高雅的场所。对他而言，这尤为重要。

"给我一块螺纹甜面包，"艾莉习惯英文和西班牙语夹杂着说话，她急切地指着展示的螺纹面包，"还有那块大的蛋糕派，带樱桃的那块，对，来一块樱桃蛋糕，大块的。"

博内特先生脸上掠过一阵无助的苦恼，他的肩膀和眉毛同时抬了起来，像提线木偶一样，迅速打开柜子后面的门，慎重地敲打每块甜点，每块甜点都硬得像砖头一样。

"女士，抱歉，"他遗憾地说，"这些蛋糕、这些派都太硬了，不能吃。"

他哀怨地看着那些蛋糕，似乎在责怪它们，为什么干掉、过期这么久还放在柜子里。这些一动也不动的东西就像要惩罚博内特先生，他好像一点儿办法也没有。只有他自己知道，他为什么不把这些不能用的东西拿出来换上新货。他快速关上玻璃柜门，受伤地望着艾莉，头垂向一边，耳朵似乎要碰到微耸的肩膀。

艾莉也跟着伤心地耸起肩膀，她告诉博内特，她只要一包"屁股"，非常感谢。

当我们回到自己的桌子，一条弯尾巴的小狗从厨房跳出来，扑向艾莉。就像马略卡岛上其他狗一样，这条狗的大小介于大型吉娃娃和小型杂种狗之间。艾莉弯下身拨弄它的下巴，它便激动地舔起艾莉的手。

"啊，你看它可爱的小脸。"她喃喃地说。

不出所料，这条小狗的轻舔很快变成贪玩的轻咬，最后突然演变成认真的撕咬，所以，当她的手指在狗尖锐的牙齿中淌出一滴血时，艾莉重重地打了它可爱的小鼻子一下。它还不溜走，艾莉就再用她可爱的小鞋子踩了一下它弯曲的尾巴。"走开！"

小狗得到这个信息，轻巧地跑开，去寻找态度不那么恶劣的玩伴了。它没走太远。

一个矮墩墩的德国女人，全副武装要外出远足的样子，睁大眼睛走进冰激凌店，戴着厚重近视眼镜的女儿陪伴着她。她女儿四十来岁，身材瘦削，唇上长了一些茸毛，脸上一副略显僵硬、困惑的微笑。这两个严肃的德国人也被玻璃柜中诱人的蛋糕和甜点吸引过来。她们习惯性地用日耳曼人"噢""啊"的声音啧啧称奇，那位豪爽的母亲似乎很想把柜子里所有的螺纹面包和蛋糕派都带走。

博内特先生再次熟练地摸了下那些糕点，然后表情痛苦地支吾着道歉，面对皱着眉头、沉默不语的中年女人以及满脸困惑的老妇人，他无法解释清楚这些不能吃的东西为什么会继续陈列在柜子里。

"为什么？"好一会儿，老妇人发出不敢相信的声音，"天哪，为什么把不新鲜的甜点放在柜子里？"她很想知道，特别是这些甜品看来还很可口。为什么把客人当傻瓜？

博内特先生无辜地点了点头，给那位老妇人一个温和的微笑，显然他对德文一窍不通。

这位上了年纪、徒步旅行的女士火冒三丈地按着太阳穴，激动地指着博内特先生的头大声咆哮："变质了？听不懂我的话？变质了？"

博内特消极地闭上眼睛，朝着那排甜点叹道："太太，是的，变质了。"他顺从地承认，所有的甜品都变质了。

为了避免激怒对方，这位温和仁慈的先生低调承认了过失。世界大战绝不会再来。

当两个德国人准备放弃蛋糕战争时，那条小狗不知什么时候又冒了出来。它悄悄盘坐在那位妇人的脚边，轻轻抬起前腿，希望得到一个温暖的拥抱。一场陡然而起、可能如同狂风暴雨般的口角霎时停止了。她们改了主意，决定购买两个特大号上等长条火腿脆皮三明治完事。总算看到点希望了。

两位德国女士一离开柜台，那条小杂种狗就跟在后面。她们带着这个店里差不多最贵重豪奢、最具有男子气概的点心，在通向后面阳台的玻璃门旁呆呆坐下来，准备用餐。

这时，小狗发出轻蔑的呜呜声，表示它的存在被忽视了，而后故意撕扯起其中一位女士厚重旅游鞋的鞋带。

"啊，妈妈，你看！"女士面容羞涩，极显妩媚，掩盖了她那不同寻常的男性化性格，"小狗真笨！哈啰，小可爱！"她试探着想摸小狗，却一不留神被咬住了手指头。小狗冷冷地含住她的手指，耳朵向后竖起，眼睛紧盯着对方，不肯撒嘴。女士的喜爱是装的，小狗也不是不明白。女士被吓坏了，从目前的状态看来，小狗想要的只有两样：玩乐和食物。它什么都不怕，要把这个游戏玩到底。

"啊！"女士突然痛苦地尖声叫道，"我的手！妈妈！妈妈！帮帮我！这狗！快喂它吃东西！快！快！"

老太太眉头紧锁，但对女儿发出的求救信号也并非毫不理睬，顺手撕了一片女儿那份里的火腿给那小狗。

计谋奏效了。小狗松开那位女士的拇指，紧紧叼起火腿片，满意地咀嚼撕咬。

"啊！妈妈！非常感谢你！"那位女士呜呜咽咽地说，"真是感激不尽！"

小狗受着美味的款待，两个傻瓜也安宁下来享用剩下的三明治。但休战时间很短。刚吃完那一小块，它又开始挑起战争，对着两位朋友大声吼叫。它抬起前腿，使用小爪子爬擦中年女士毛皮短裤下和卷下来的长筒袜之间那块露出来的瘦削皮肤。

"啊！"又是一阵惨叫，女士厚重的靴子在桌下发狂地踢正步，"快停下！拜托啊！"

小狗却没有同情这可怜女子的呼求，就是不打算撒口，必须等到下一片火腿掉下来。喃喃的母亲迫于形势施以援手，就又得到一段喘息时间，直到小狗再一次打破平静。这个嘈杂的哑剧每隔一分钟就会重复一次，直到小狗从即将歇斯底里的女士那里吞下最后一块肉。

博内特先生对此无动于衷。也许在他看来，这场"德国对西班牙"的人狗抢食大战并不那么重要。他干脆把磁带放进卡式录音机，就在圣母马利亚雕像下面那个不怎么虔诚的地方。音乐很悦耳，是歌手胡里奥的经典情歌《姊妹的呼求》。隔座的吵闹声，狗的咆哮声，来来去去的脚步踏地声，都在胡里奥的音乐里编织成一曲交响乐，萦绕在周围。

这场面也被两个帮厨的女仆看到，她俩偷偷溜到后门外，在德国女人身后找了张桌子，坐下来喝咖啡，享受不经意间降临的休息时光。还有三名当地贤者假装漠不关心地坐在吧台旁的凳子上，他们只是被这闹剧吸引，抛弃了对面那家常去光顾的更热闹的古巴酒吧。两个电气工人也出现在喧嚣的闹剧现场，聚精会神修理里面的不锈钢冷藏库。

此时，小狗成功吞掉了年轻女人的全部火腿片，决定继续这项获利颇高的游戏，把注意力转移到那女子妈妈的腿边。

"他不可能赢过那老悍妇，"我对艾莉说，"即使没有单片眼镜和尖刺头盔，她一样可以光天化日之下吓死一群狼！"

不出所料，她的鞋带首次被撕扯时，老太太就大声斥责"不可以"。她把那条受到惊吓的小狗抓离地面，把没吃完的三明治里的肉片撕下一半，踢开玻璃门，把小狗跟它的火腿片丢到门外，志得意满地呼号："西班牙狗！滚出去！"

她拍拍双手，砰的一声把门关上，然后大摇大摆地走回原来的桌子，那件织得非常细密的巴伐利亚羊毛衫下，胸部刻意向前挺起。就该这么做！她信心十足地告诉她那个畏畏缩缩却很有教养的女儿：狗仗人势。天哪！你得让看客们知道谁是真正的主人。是的，必须的！

"我同意你的观点。"艾莉承认，"你看，那小杂种这次是骑虎难下了。"

"不，不是这样的，太太，"一个女仆开口了，"它很好，你看！"她小心谨慎地指着院子的中间，小狗已经在那里把剩下的火腿都吃掉了，正全速狂奔，耳朵摆动，尾巴高高在空中兜着圈儿，绕过前面的小阳台，从开着的后门又回到了咖啡店里。

女仆满怀希望地点着头看那个德国妇人自我陶醉地弯下腰系鞋带，这时她丰满的臀部正好对着店门。小狗看到，立刻飞也似的奔来。

"小心！妈！"那位德国女士疯狂地尖叫起来，"狗又跑进来了！"

　　　　　　　　　　　　马略卡之冬：雪球橘

一切都太迟了。小狗已经全速奔进来，消失在老年人的阿尔卑斯村姑裙里，并立刻采取了报复行动。顿时尖叫声与扔碟子的响声此起彼伏，老人颤抖着一把将桌上的三明治全部扔给地上的小狗。

她俩一不小心撞倒了旁边的塑料桌，保守的老太太只有接受周围嘲弄的眼神和讥笑的分。小狗风光不减地吞食着德国妇人丢在地板上的半截火腿，两人则狼狈十足地撤退了。

"看来真是不错。"博内特先生露出满意的微笑。他从吧台后面露出头来。的确，真不赖，老板非常认真地表示，德国妇人不只买了昂贵的火腿给他的狗吃，还留了两片没来得及吃的面包在店里，成了他们家母鸡的口粮。他轻轻扬了眉毛：现在谁是真的傻瓜？

三个当地人和两个女仆也咯咯笑着欣赏完了整场演出。是啊，他们拉长声音，现在谁是真的傻瓜？

我们很想继续观望博内特先生店内无国界的喜剧盛宴，但美好的时光总是短暂的，我们安德拉奇风格国际咖啡店的巡礼当中这个小小的插曲也必须告一段落了。我和艾莉得回家了解一下森迪跟查理的工作进展。

我们刚离开渐趋安静的街道，就被冰激凌店老板打了个手势叫了回去。

明晚是这一年的最后一个晚上，十二月三十一日，博内特先生提醒我们。他和夫人将办一个大型晚会来迎接新年。

到时候很多客人会来，他希望我跟艾莉也来。我们若能出席，将是他的荣幸。如果能带孩子们来，他们还可以再逗逗他那可爱的小狗。况且，嘉宾中会有演艺界人士，当地明星大牌群英荟萃，不容错过。

"非常感谢，博内特先生。"我们立刻同意了。天哪，我们简直等不及了。

当我们掉转车头驶向"市长府邸"的巷子时，高耸的石墙内传出响亮的"好棒！"和"哦呀！"的喊声。是不是孩子们在我们不在的时候，在家里玩起斗牛的游戏来了？看来我有点多虑了。喝彩的是一群年龄偏大的邻居男孩，他们聚集在我们家工具房（那是一间古老的小石屋）旁边，瞪眼看着森迪初次尝试开手扶拖拉机犁田。森迪驾驶的整体感觉不错。每当到了地头，拖拉机都要转个一百八十度的大弯，他手巧，熟练地掌握着长长的驾驶柄，把犁牵引起来，掉头以后，再到旁边那一垄放下，继续犁地。犁到发出喝彩声的那片土地时，大家都在看他犁的地沟直不直。

突然传来一个沙哑嘈杂、带着咒骂的声音，显然，老佩普是陪审团团长，从森迪脸上一直浮现的笑容和观众间的开心玩笑判断，我们的儿子肯定做得还不错。我们觉得最好还是继续让他自发地与当地融合，我们就不干涉了，所以我们悄悄回到了屋子里。

　　　　　　　　　　　　马略卡之冬：雪球橘

使我们非常惊奇的是，查理和托尼从地上捡了好多橘子，按照品种整整齐齐分成四类，搁在仓库地板上。

　　"这么整齐的工作，太不像查理做的事了。"艾莉满心怀疑。

　　"对，我也觉得。"我敲了一下下巴，"这事看起来非常古怪，查理并不知道这些橘子还有品种上的差别。太古怪了。"

　　"别烦了。"查理不屑一顾，飘飘然走进仓库，"这都不是按照我的主意摆的。都是那个老家伙——"

　　"你说的该不是赫罗尼莫吧？"艾莉问。

　　"妈，你说得不错，就是他。赫罗尼莫，真是个好名字。呵呵，反正就是，你们走后，他就亲自到果园来了。他的本地话我也听不大懂，不过既然托尼在学校学了点英语，我们就聊了聊。懂了？"

　　我和艾莉一脸茫然。

　　"算了算了，不和你们说了。反正好消息是，他打算买咱们的橘子。他说，这些橘子还行……毕竟考虑到树是那副样子，不过他只能以每公斤七十五比塞塔的批发价算，所以他觉得我们也可以再找一些当地零售店。在那儿应该可以卖点好价钱，他说的。"

　　"你为什么将橘子分成四小堆？"我问道。

　　"那是赫罗尼莫的主意。你看，每个橘子的柄上都留着一两片嫩叶，这表明这些马略卡橘子是刚摘的。这就是诀窍。

他解释了这种方式的关键在于，你得在叶子枯掉前，努力把橘子卖掉。卖掉橘子，这是重点！你们走后，他就来了，替咱家把橘子分了类，好给那些认真的买家看。别无其他秘诀了。"

我惊喜地扬起一边的眉毛。"查理，真是太好了。对一个不太擅长讲西班牙语的孩子而言，你今天早上已经学到了很多。"

"谢谢老爸。不过，我们有自己的方法。像我们这么聪明的孩子，根本没有语言障碍。"

"哦？是吗？那么下礼拜，开学之后，我们就可以检验一下了，因为西班牙语在这里是必修课。"

"老爸，放轻松。我已经向托尼学了一些基本的西班牙语词汇。西班牙语的老师一定会非常惊讶。这个新来的外国小子，怎么这么神奇！这么快就掌握了一些词汇？"

"你是我们的爱因斯坦嘛！"艾莉搂着他的脖子，亲昵地说，"你给我听好了。我不管你是如何学到的，如果你指的是那些从你牙缝里蹦出的词——那些脏话——我建议你在学校里别用！否则，第一天你就会被人家开除！"

"敬爱的母亲，你真是英明。"查理眼中流露出调皮的神色。

"老佩普，豪梅，巴托洛梅，弗朗西斯科，再见吧！"森迪正跟那些他敬仰的导师道别。直到走回房间，他还在深深地为他们的热诚鼓励鞠躬致谢，导师们基本上都离开农庄门前狭长的巷子了，但我们还是能听到他们的欢呼声。

"地犁得如何？"我问，"做事情如果都能做到像你刚才跟那些老家伙道别致谢的程度，任何事情都可以做好。"

"哦，我想，还好啦！"他单纯的脸上丝毫没有任何懈怠。工作紧张也压不住他那纯粹因工作完成而充满的喜悦之情。"他们的习惯和我们稍有不同。我花了一点时间来学手扶拖拉机的操作流程，又到地里去试验了一把。我放弃了坐在上面，选择走在后面。这种拖拉机有点像机器木马，只要抓到控制的关键，就能稳稳当当地驾驶。佩普大伯他们教了我那么多手艺，我不可能错得太离谱！"

正在此时，老佩普悄无声息地溜进了我们家。他从仓库门外探头进来。"对不起，朋友。"他喘着气。原来他看到我们回来，就赶快来报告一个重要消息了，"森迪这个小伙子，太聪明了！对于犁地有天赋啊！竟然可以跟我小时候相提并论！假如你们要这小子继续提高技术的话，就得彻底扔掉那台破二手拖拉机，换头骡子！"他砰的一声关上门，倏忽不见人影。

森迪有些紧张地举起双手。"拜托，老爸，你可别那么想。"

"放轻松，森迪，我们的采购单里没有骡子。不管佩普怎么说，我们还得看眼前的经济状况判断形势。我想恐怕我们让时间倒转到拥有一台两轮手扶拖拉机就够了！"

我拍了拍孩子的后背。"无论如何，小子，今天多谢了。今天一早的工作，你们做得都很好。我真的非常感谢你们。

艾莉，我们两个确实要感谢他们。对不对？"

"不单纯如此吧。"艾莉笑着，趁两个孩子还没机会躲闪，就在他们脸上各自亲了一下，"很高兴看到你们全心投入到这里的新工作。看到你们乐在其中真叫人开心。我觉得很好。对了，我们为什么不拿一些橘子到附近的商店里去卖？如果时间允许的话，我们还可以到外面吃个便饭。都中午了。我们可以好好犒赏一下自己！快！你们两个，赶快把东西清理一下。马上走。"

无论我们多么努力地推销橘子，老豪梅的预测完全正确。我们拜访了安德拉奇的每个小店，得到的答案全都一样。每家批发商或小零售店都有固定的供货商，基本上不需要我们的橘子，我们的市场销售遇到了挫折。绝望至极的我们使出了一招计谋，霸凌两个孩子笑容可掬地去用磕巴的西班牙语勾引那些年长的商店老板娘，但连这办法都失效了。简而言之，她们不需要进更多橘子了，就这么简单。

"最后的办法是，"当我们几乎被镇上所有可能收购我们橘子的商店拒绝后，我做了决定，"我们要加大行销范围。我们去后山上试一下那里的村民，看他们是否需要。那里的人应该很需要的，尤其如果我们能定期提供刚刚从树上摘下的新鲜橘子给他们。你们认为这个主意如何？还不错吧？"

艾莉和他们俩并不像我这样乐观，他们的默不作声已经表明了态度。只不过想着午餐时间到了，他们在肚子和脑子中间选择了肚子，迁就了我。

"老板，你说得没错。"他们懒洋洋地应付着，"上山去看看吧。"

我们沿着胡安·胡安把拖拉机开下来的惊魂路线——只不过倒着往回——一路开车爬上加拉法山西北侧的陡峭山坡，穿过林木密布的深谷，经过游荡着成群闪着好奇眼神、光灿灿的黑山羊的废弃农场。车子不断爬升，最后我们来到惊心动魄的萨格鲁阿关隘。道路在这里变得崎岖，路旁没有护栏。艾莉和查理坐在窗边，看着下方深不见底的山谷，如同坐在不断爬升的飞机里，高度令人头晕目眩。

我们驶入一长段下坡，进入另一个山谷。清秀挺拔的卡普德拉村蓦然在远处浮现。这个村子建在索恩丰特与萨格鲁阿之间平静的丘陵地段，我们的右下方，索恩比克溪谷的河床曲曲折折，一条绿色的杏树带狭长秀丽，遍布整个山谷，逐渐延伸到大海。这景象令人振奋。车内赞叹声不绝于耳，轻微的叹息声解除了大家在惊险的山路驾驶中感受到的毛发悚立的紧张气氛。这一段路我们以前从未走过，现在我们来这里也只是为了推销我们家的水果。

在卡普德拉一些静谧的小社区附近，我们找到的每个批发商给我们的答案基本上都一样。虽然这村子附近的高地果园为数不多，供应给当地的水果却是绰绰有余，我们接二连三得到的回复都是：我们已经有不少了，谢谢。

最后，我们把车停在位于卡尔维亚的包萨酒吧对面的小广场，孩子们拖着疲惫步伐拿着几盘橘子抱怨连连地走了，我和艾莉静静看一些乡民不紧不慢地把纯净的山泉装进壶中。山泉是从广场边的公共喷泉流出来的。几个世纪以来，这样的乡村场景几乎都未变过，只是人行道上设置了便利却显得极不协调的铝制电话亭，偶尔会有噪声四起的货车以及现在村妇外出采购最喜欢的机动脚踏车经过，而不是从前的驴子和手推车。重塑时光不老光环的，是两位一身灰衣的修女，她们在近旁沿着直升云霄的石梯拾级而上，娴静优雅地走进那座巨大的教区教堂。时至今日，教堂高耸的双穹顶钟楼依然看顾着山镇上那些小房子中和山下数英里内每一户小农院里住着的居民。

几个小时倏忽而过。我们的橘子还是满满一车。我们决定前往最后一个村庄：山城普伊格普涅恩特。空着肚子，人的脾气也变得易怒，我听说附近一家餐馆很有名。

往普伊格普涅恩特去的路比起第一段路程并没有特别戏剧性的地方，沿途轻松了不少。我们驱车经过马略卡岛景色宜人的村庄，将卡尔维亚长满杏树及橄榄树的缓坡田野甩在身后，接着来到用蜂蜜石建造的农庄。这些农庄建立在围墙环绕的绿地之内，成群的长腿绵羊聚在古老角豆树的粗糙树干间觅食，深绿色的树冠终年守护着羊群。

宽阔的高地延伸到一片小峡谷。我们很快就到了坎斯山脉的坡底。道路在树木丛生的峭壁之间扭曲着，两边的树枝几乎搭在一起。前方道路上，阳光筛落，在地上形成斑驳的树影。

每拐过一个弯，不同的景色就在眼前徐徐展开。我们沿着盘山公路在密林遍布的包萨及坎斯山脉爬行，路边一丛丛石楠已经开始绽放粉红的花朵，一些烧焦的石头和空酒瓶说明帕尔马人曾携家眷来此度周末，并在满是松香的林间烹煮过西班牙海鲜。

最后，我们来到连接帕尔马和普伊格普涅恩特的主干道，松林开始越来越多地穿插常绿橡树，灰绿色的叶片让周围的环境变得更柔和，这派温和的景象和我们之前经过的崎岖地形形成了鲜明对比。我们越朝远方前进，这种反差就越明显。现在，在我们驶向西面的加拉措山时，这条路变得更平坦了，我们的车速也更快。壮丽的山峰在后方跟着我们行进。我们加速经过了一些柏树围成高高篱笆的樱桃果园，修剪整齐的果树在冬天的沉睡中显得憔悴万分，一副光秃秃的模样。路左边的河岸隐藏在桃金娘、芦苇、黑刺李和甘蔗的青翠盖头之下。这些植物在角豆树、橄榄树及如今随处可见的橡树下茁壮成长。

普伊格普涅恩特显示了另外一种柔和的景色。翠色欲滴的山峰让人更加思念英国南方的森林山坡，仿佛这里不是马略卡偏远高山里的深谷。高大的榆树、白杨、银杏树冠缠绕着屹立在一起，围着山谷里的小村庄。粗壮的树体以及大量上层网络状枝干，向暴风雨期间由周围群山集起并沿河床岩石倾泻而下、灌溉着大树根部的宝贵水源经年累月地致敬行礼。为补充这处慵懒林地角落的自然美景，上一代开明的村民在道路两旁栽种了姿态优雅的法国梧桐。如今，蜕了皮的树干青灰亮泽，轻柔地融合在旧石屋饱经风霜的屋顶与石墙的朦胧色彩里。

夏季闷热到令人窒息的那几个月，马略卡的沿海地带与平原在无尽的阳光下经受炙烤，普伊格普涅恩特反倒是个安详的绿洲，清新凉快的空气从加拉措山上徐徐吹来，令人心旷神怡。即便是冬日午后，四周依然生气勃勃，在陡峭的鹅卵石小巷、舒适的梯田小屋和橄榄木火炉的烟味中，你可以欣赏到壮丽的山脉，享受宁静时光。在马略卡，这样的场景实属罕见，似乎时间的流逝都无法触碰到它，除了一台没有轮子、外壳拆掉的西雅特熊猫轿车，被放在路边当作公共垃圾桶。

"谢天谢地，店没有开。"看着车窗外大门紧锁的水果店，查理打着哈欠说。

"赞成。"森迪说道，"老板很聪明，去吃饭了。我建议我们也去吃饭。我都快饿死了。"

"当然。"查理说道，一想到吃，他就精力十足，"我胃

　　　　　　　　　　　马略卡之冬：雪球橘

都空了。我想它快要把自己消化掉了。像我这种正在发育的年轻人，不能挨饿。这么久没有吃东西，很残忍！你看看，都快两点半了。"

蓬特餐厅酒吧靠近村子入口的十字路，位于普伊格普涅恩特的一座桥旁。拱形的大窗户是典型的当地风格，柳树排列在外面的人行道两边。这里的建筑比其他乡镇的更为现代化，气氛很好。附近停了一些小货车，证明这里似乎是个不错的餐馆，否则就不值得停靠嘛。门口的黑板上大书特书今日特色套餐，价格公道，有三种菜品，包含面包和红酒。我们毫不犹豫地走了进去。

我们走进宽敞简单的斯巴达式酒吧间，我感到艾莉有些失望。里面只有一些看似舒适的桌椅，上面搁着当日报纸。火炉里木柴熊熊燃烧着，位于大厅空荡荡的地板中央。柜子上方的彩色电视机正播放西班牙语配音的连续剧《邻居》。另有一张台球桌摆在旁边光线比较柔和的角落。但没办法了，我坚决地走进酒吧间。里面有几位满身灰尘的建筑工人，还有穿着蓝色工作服的速递员。他们正在享用饭后的咖啡、甜酒和香烟。查理和森迪直接冲向台球桌，一看到蓝色粗呢桌面的球台，他们的饥饿感就一扫而空了。

餐厅老板是个身材健硕的男子。他比普通人高大一些，脸上毫无表情，头戴非常醒目的圆帽，帽子小了好几个尺寸，在他头上就像一片长了翅膀的小煎饼降落在一个大小合适的甜瓜上。他正在擦玻璃杯。

我上前询问是否还可以点餐。他探出头向房子后面两条宽敞的拱廊一指，叫我到后面餐厅去。一条拱廊被盆栽的棕榈和垂挂的花篮挡住过不去，艾莉和我忐忑不安地穿过另一条拱廊，进入后面的餐厅。那群男子的对话突然停下，火辣辣的目光直向艾莉射来。

后厨走来一位女服务生。她的手臂上平稳地搁了一列盘子。我礼貌地说，能不能安排一张餐桌。

艾莉佯装兴趣浓厚地嗅着人造花。这些人造花极具创意地放在走廊一端的古老写字台上。令人窘迫的是，艾莉的扭捏掩饰没有一点效果，她的出现招致了那些男人彼此心领神会的窃笑。

"我知道有时候在这些工人吃饭的地方享受一顿美味午餐是要付出些代价的，"艾莉甫一安全坐到我保护好她的位子，就轻声道，"但我希望他们打量人不要这么明目张胆。太尴尬了。"

"肯定的，我很同情你，"我实事求是地说，"可是在这儿，这种事好像不大会改变，所以你可能不得不采用更自由主义一些的态度。"

"自由主义的态度？"

"对，心胸开阔一些。就是欧洲的自由传统……"

"欧洲的自由传统？让我免费告诉你事情真相。我敢向你保证，如果他们的妻子在旁边，他们绝不敢那样放纵地看我！"艾莉反驳道，"我告诉你为什么这样，因为自由是欧洲人用来结婚的计谋！"

我完全接受她的说法。

"你看，这个餐厅真不错。"我巧妙地转移话题，望着明亮通透的大厅。镶嵌着大理石的精致金属桌面摆在宽阔的走廊与两扇拱形窗户之间，窗外是一整片梧桐树，一旁有篷子的露台上也放置了一些桌椅，周围还有些爬满鲜花的陶器。桌子附近，石制的壁炉里传出木柴烧得噼噼啪啪的响声。

"就是啊。谁会想到这个乌烟瘴气的酒吧后面，还有一个这么优雅的餐厅？"她说着，目光越过我的肩膀，偷偷瞄了一眼剩下的客人。他们现在正一边剔牙，一边大口大口喝着饭后甜酒提神。"这地方看起来就好像是专门给这些人吃饭的廉价餐厅。"

"对。这家餐厅工作日就靠这些人赚点钱，不过到了周末，更好的帕尔马午餐套餐一定会更胜一筹。两间餐厅打通，便可座无虚席。"

一位身体虚弱的乡下妇人和先生在厨房边的桌子上安静吃着饭，当我们经过时，她突然停下来，请我们原谅她的叨扰，颤抖地从壁炉上拿了一朵新鲜的玫瑰，羞怯地笑着递给艾莉。她慢慢说着马略卡方言，偶尔夹杂着西班牙语来解释，用慈祥的眼神注视着艾莉说："这些花比那张旧桌子上的塑料花香多了，对不对？"

艾莉顿时说不出话来。

接着，老妇人做了一个轻蔑的挥手动作，就像是在挥赶耳边令人讨厌的苍蝇，"太太，你千万别去理会那些开货车的男人。他们都是城里来的，大都从西班牙半岛来。你可以从他们的口音分辨出来。他们都是西班牙人！马略卡的男人对女士可不会这么没礼貌，他们当然也不是普伊格普涅恩特人！"

她转过头去瞪了一眼她那有点顽皮的丈夫，对方顺从地点了点头。他背着太太对艾莉抛了个媚眼，轻轻地拍了拍我的背，便挽着太太的手臂蹒跚消失在午后的阳光里。

"真好！"艾莉吸了一口气，然后用餐巾擦拭眼睛，"多可爱的老太太。"

"不过，她对西班牙人好像没那么可爱。就像大部分马略卡人一样，对西班牙人就是爱不起来。"

"妈，要感冒了吗？"森迪问，他们终于离开那张台球桌了，食物的香味就是这么有吸引力。

"哦，你妈刚交了个新朋友，她被打动了。"我开玩笑地说。

"是不是刚和马固先生走出去的那位老巫婆？"查理笑着说。

"对，"艾莉擦掉眼角的泪花说，"她才不是什么老巫婆呢，她是个淑女，一个可爱的老太太。她人很好，给了我一些建议。真的挺好，你要尊重人家。"

"别紧张，"查理耸了耸肩，"只不过，她过马路之后，打开了刚才那间没有开门的店。仅此而已。"

"所以，妈，你知道吗？"森迪笑嘻嘻地说，"你认识的新朋友可能是那家店的老板娘。赶快，趁这个机会，找她买我们的橘子。这不正是我们一直在等的机会嘛！"

"小伙子，等等。"我摇着头说，"别搞错了，做生意归做生意，你的主意很好，不过，我们的目的并不在此。"

"为什么？有什么问题？"森迪不解地问。

"从安德拉奇到普伊格普涅恩特的距离比我想象中还远，有好几公里，就算他们要买我们的水果，我们卖到这种地方也不值。"

"哦，这样我们就解脱了。"艾莉叹了口气，"至少我不想经常走这么远的路来做这种事情。"

"所以，赫罗尼莫付多少我们就收多少？"查理问道。

"似乎是的。"我回答。

"我们不会靠这些钱过活吧？一公斤七十五比塞塔，一磅差不多只有十五便士。"森迪算了一下，"除非我们自己靠吃这些橘子度日。"

"好了，今天倒腾了一整天的橘子，"艾莉摩擦着双手说，"吃饭吧，彼得，菜单呢？"

"好，由美国大米或白豆开胃，然后主菜有排骨，还有一份叫作'萨波夫拉的拉特格雷西亚'的特色菜。当然，这个真的很特别。餐后甜点，你们一定不敢相信，是安德拉奇的橘子。"

"安德拉奇的橘子！"这时的异口同声让人难以置信。

"完全正确，"我叹了口气，"有人捷足先登了。"

"如果我们拿自己车上的橘子来，店里能不能给我们打折？"森迪喃喃地说着。

"对，哪怕只能换一点钱，我决定还是去拿一些下来。"弟弟自告奋勇地要去拿。

"别提橘子了！"我请求他们，"喂！专心点菜。前菜是一种大米饭或是混合豆子，主菜是排骨或今日特色。不过，我先说明，我不是很确定这道今日特色是什么。"

"今日特色是不是比较贵？"森迪查看了一下。

"对，不过，我有预感，你可能不会喜欢——"

"别担心，比较贵，说明份量可能也比较多，现在我就想点这个。我要豆子和特色菜。"

"我也要，"查理跟着点，他拍拍肚子，"虽然不确定，但我每次都点特色菜。"

"你们知道的，"艾莉沉思了一下，"我总是喜欢点特色菜。'萨波夫拉的拉特格雷西亚'颇有些异域风情。你帮我问一下那是什么。"

"好，我可以告诉你，那是小岛北边一个叫萨波夫拉城镇的一道菜。"我摇着头说，"如果我是你的话，我会点猪肉。菜单上面说，这里的猪是吃掉在橡树下的果实长大的，听说味道非常鲜美。马略卡猪肉确实如此。事实上，我最近吃那么多猪肉，我很惊讶，我怎么还没有变成猪。"

　　"别想说服我，"艾莉咕噜了一下，"就帮我点个猪肉。"

　　和马略卡正午套餐一样，第一道菜就装得满满一盘，一点都不像精致的开胃点心。它们是为了满足那些工人空空如也的胃的，不像一些新式菜肴就在盘子中央撒些零星碎片。

　　奇怪的"美国大米"堆得像座火山，里面藏了香菜，再淋上红色熔岩般浓稠的酱汁。孩子们的食物则淋了一圈西红柿酱。他们狼吞虎咽地吃着快要溢出来的食物，你不用额外要求服务生，她就会很主动地帮你添上第二份。

　　过了一会儿，我发现盘里的食物还是吃不完。孩子们的第二道菜是"萨波夫拉的拉特格雷西亚"。那是一锅褐色的肉，点缀着大蒜、韭菜、红色辣椒以及少许小西红柿块，一起卤制而成。你根本不用问好不好吃。

　　我们点的烤猪排很嫩，切起来就像切海绵蛋糕般容易。显然，橡树果实对美食的重要性不言而喻，马略卡的猪都是以放牧的方式来饲养的。

　　我们礼貌地婉拒了他们的橘子，我感谢了服务生善解人意的服务。她笑笑，望着酒足饭饱的孩子。对于那道美味的猪肉，我问她是否可以帮我们表达对厨房的谢意。

她告诉我们，年底是马略卡的杀猪节，他们在小农场杀猪，所以有优质的新鲜猪肉供应，这时做出来的猪肉特别好吃。她转身回厨房，端出一小盘蜜饯橘，是橘子切片做成的，完全是厨师的好意，他希望这些香味甘醇的甜点比普通橘子更吸引我们。这顿饭的价格实在太实惠了。

"小伙子，我看你们好像吃得很开心，"回家的路上我提到，"你们简直狼吞虎咽。"

"啊，真的很棒。"森迪兴高采烈、眼神迷离地表示，他饱到瘫在后座上。

"的确如此，"查理解开牛仔裤最上端的扣子，"真是与众不同。我从来没有吃过这种鸡肉。哇！"

"年轻人，告诉你们一件事，"我说，"你们的主菜不是鸡肉。"

"啊，那就是兔肉了，"森迪不是很关心，"我想那道菜可能是兔子肉。味道挺特别。"

"对，无所谓，"查理同意，"管它是鸡肉还是兔肉，那道菜真的与众不同。"

"不是，也不是兔肉，"我平静地告诉他们，"付账时，我问过服务生，他告诉我，'萨波夫拉的拉特格雷西亚'，照字面意思就是，萨波夫拉耗子砂锅。"

— *9* —

新年华诞

　　终于到了年底。我突然发现，自从平安夜在机场巧遇乔克·彭斯之后，就没有再看到他了！那时我们说好年底的时候要好好地聚一聚。我鼓起勇气，请博内特先生让我们这位同乡和他妻子一起参加冰激凌店的新年晚会。我强调，他们绝不会欺负他好客，事实上，他们在晚会的后半段，也就是乔克结束他在海滩旅馆的演奏后，才会现身。

　　我犹犹豫豫的请求得到了慷慨热情的回应。他对我说："朋友的朋友就是我的朋友。你的朋友我一定会请。"

　　乔克和梅格正式接受了邀请，我们期待和他们聚一聚，这样大家就能够一起开心过年。

博内特先生的冰激凌店装扮得很有节日气氛，真是出乎意料。只是这种装饰让人感觉有些不自在，就好像一位韶华已逝的女明星，好不容易受邀出席镇上罕有的晚宴，特地把自己打扮得花枝招展一般。金光闪闪的长丝带配上五颜六色的如蟒蛇般扭曲的细纹纸，从拱廊过道的天花板上垂下来；一排陈旧的聚光灯如同经历了多年安逸的冬眠，从长睡的梦中醒来；古老的灯光戏剧性地穿越了灰尘弥漫的朦胧空气，照射到小小的舞台上。那垂直的帘幕从两旁向后卷起，折叠成斜面，显露着这一次性舞厅的俗丽胸针：身着低廉夹克衫的"管弦乐队"。今晚缩减了开支，只剩键盘手和鼓手在已有裂纹的镜前默默徘徊。镀金的镜框生了霉菌，但从精细的做工来看，这面舞台镜漫长寿命中的相当长一段时间应当是在宏伟豪华的帕尔马豪宅沙龙中度过的。在水晶吊灯富丽堂皇的奢华光彩下，映衬着曾经荣耀优雅的一幕又一幕，但不是今夜。

低耗能的笨重灯泡嵌进天花板吊灯的磨砂玻璃罩中，棱角分明的螺纹圆柱灯在被勒紧脖子的电子水螅张开的嘴中膨胀成臃肿的舌头状，放射着电影院里清洁时白花花、不讨喜的灯光。排排白色塑料桌和罩着漂亮挂毯的椅子在大厅周边被重新排列；藤条屏风在一旁静立，舞池空旷。舞池后方，各种游戏机和冰箱展示柜排得整整齐齐，像哨卡的机器人守护着吧台的通道，后方电线交叠，如同意大利面。博内特先生宽大的身躯费力蜷缩在紧身西装里，这装束显然属于昔日舞厅的光辉时刻。他站在吧台后头，骄傲地迎接每位来宾，大声表示"欢迎"。乐队并没有演奏，他把放在酒瓶倒立架上的录音机调到最大声，让胡里奥的《我曾经深爱的女孩》能被所有贵客听到。录音机恰恰摆放在圣母马利亚雕像下面的那个神圣位置。

平素不太抛头露面的博内特太太是个身材纤瘦、脾气温和的优雅女士。她那被厨房生活漂白了的脸庞永久地表达着无聊和厌倦。这个夜晚，她从后厨的杂务里解放出来，换上极少穿的专门在店面招呼客人的黑色连衣裙，站在长桌后头的角落。桌上准备的是清一色的新鲜美味，各种热餐盛在马略卡特制圆形陶器里，淹没在蒸汽四溢的百合花小池中。里面有各色开胃小吃，都是西班牙酒吧供应客人佐酒解馋的美味。现在普通的酒吧内，开胃餐供应量和一般正餐量不会差别很大，酒类却退居其次了。怎么说，几乎可以算是这样。

博内特太太的小吃品类繁多，色、香、味俱全，体现了马略卡大地和地中海的丰富馈赠，其中有玲珑的小明虾，由橄榄油与柠檬汁烤制的龙虾，金黄薄脆的鱿鱼圈，蒜汁和蛋黄酱腌制的马铃薯块，火腿馅余肉丸，淋着西芹酱并吱吱作响的小牛肉，白酒烹煮的银色小鳗鱼，色泽柔顺的雪利酒蒸羊宝，肉桂与茴香熏制的香肠，甚至还有火腿片包裹的蒸枣。

喜欢这些"开胃品"的顾客如果也想尝试一点不同的味道，博内特夫人特地用大型陶器做了几种汤，其实也不是汤，而是一整块厚重浓稠、如同席梦思床垫的东西。这是这个季节马略卡备受欢迎的食物，是家中庆祝杀猪时一定要品尝的经典佳肴。

"如果地面空间不够，她们可以汤上面跳舞。"艾莉幽默地说。

博内特夫人烹饪秀中最令人惊叹的是烤乳猪。他们把三个星期大、还在吃奶的仔猪杀掉，涂上橄榄油和柠檬汁，放到烤炉上烤至金黄酥脆，然后装盘，伴上食指大小的烤马铃薯和嫩四季豆。

乳猪旁，一边是吱吱作响的马略卡蒸羔羊腿和肩胛肉，一边是烤小鸟及猪肉培根。

"是鹌鹑？"艾莉狐疑地瞄着盘中排列有序如同天兵的飞禽。

"对。"我扯了个谎。事实上，我非常清楚它们更可能是画眉鸟。不过，我觉得这好像也没有太大差别，除非你的耳朵能够分辨哪一种鸟的声音更加悦耳，只是现在被盛在餐盘里端上饭桌的鸟已经无法吱吱叫了。鹌鹑、画眉、乌鸦甚至是渡渡鸟，管它叫什么名字呢！当它腿脚朝天成为盘中餐，早就什么都不是了！

最后，烤火鸡端上来了。火鸡片在浓稠酱汁中沸腾，一旁是大盘的沙拉以及堆起来的藏红花饭，但这些都让位给后面刚出锅的嘶嘶冒着热气的马略卡甜甜圈了，上面筛了多少糖粉啊！

客厅前排餐桌上面有乡村面包、盐蒸橄榄、罐装葡萄酒、柠檬汁和成罐成罐的冰矿泉水。宾客们可以尽情享用。当然，这一切只能等全部客人到齐了，博内特宣布正餐开始时才能食用。天花板上的彩灯忽开忽关（有半打以上的灯泡已寿终正寝），就是为了吸引食客们注意。之后，博内特要求大家聚到摆着餐点的桌旁，他和两位衣着秀气的厨房女侍以及博内特夫人一起，为这场盛大宴会分发食物。

随之而来的自助餐终于彻底安排好，我们不断大喊大叫地告诉服务生我们爱吃什么，满盘的食物被送到了餐桌。食客或正襟危坐，边饮啜美酒，边吞食佳肴；或在杯盘狼藉中疯狂逗趣，大笑不止，音量足以跟录音机里的音乐媲美。原本在圣母马利亚像下发出的胡里奥的美妙歌声，现在则被激亢的普拉西多·多明戈取代。

"管弦乐队"仅有的两名成员已在空旷的酒吧寻了个很自然的慵懒位置坐下。他们躲在自制啤酒的泡沫和香烟烟雾组成的屏障后头，透过墨镜玩世不恭地勘测地球人聚会时对奇特食物的不正常依恋。

人们吞咽着美食，畅饮着葡萄酒，桌上交谈的声音相应提高了许多。这样，在周围此起彼伏的马略卡方言里，即便我们完全不能理解他们的谈话，也能得到谈话声的友好掩护。当有人向我们提问，或关注我们这边时，我们就微笑、点头，或者用手指比画着说"是"。这就足够了。

自助餐的热潮结束了。厨房的女侍马上到了饮料部，在酒吧和桌子之间摇晃着高跟鞋的她们，走起路来颇有点凌波微步的感觉。她们穿梭在酒吧餐桌间，既要闪避那些取第二盘自助餐的食客，还要为他们更换空了的酒罐。女侍们精准地调控身体姿态，只为在拥挤的桌间获取一些可伸展的空间，而她们意外暴露的大腿与乳沟，被那些色眼迷离的妻管严丈夫瞄上了。事实上，穿着短裙来来去去的女招待双腿的曲线只比盘中的画眉鸟好一点，胸部也非骄人不凡，可老男人们依旧不吝眼神，还是盯着看。华丽的靓装下暴露的有限肌肤相当诱人。男人们对此事的迷恋随着葡萄酒的摄入而不断增长，咆哮也变得越来越快。女侍倒酒之际，恬淡地承受着好色之徒抛媚眼、做小动作。直到一位特别恼怒的妻子"一不小心"绊倒了女侍，她端着的那壶冰矿泉水正好洒在那位丈夫过热的大腿根上，才结束了所有乐趣。

闹哄哄的嘈杂声与滑倒在地的女侍宣告第一阶段的暖身结束，这似乎在提醒两位音乐家现在该来点真正的音乐了。他们走向舞台。

键盘手看来比鼓手老至少一代，这种差异反映在他们演奏的第一首乐曲上。那是一曲四十年代格伦·米勒的畅销金曲。键盘手节奏比较快，不那么摇摆，而嚼着口香糖的鼓手倾向比较流行的节拍。他的状态就像林戈·斯塔尔在一个注定失败的演出晚会上极力模仿吉恩·克鲁帕。无论如何，有几对全身发痒的伴侣已经登上舞池，开始一显身手了。演奏的音乐遵循一般程式，从轻松明快的摇摆舞曲、成熟的吉特巴，到双手摇摆、刺激你体内的舞蹈因子、让你跟着情不自禁地扭动的布吉舞。你看，甚至连老玛丽亚·包萨也在男卫生间外贴着"禁止穿行"标签的小空间内，跟着《查塔努加酷酷》的节奏，独自跳着动感十足的古老马略卡民族舞。要说到舞蹈本身，她落后的显然不仅仅是一个话题，而是一整个时代了。

但没关系，乐手已经履行了他们应尽的义务。他们确实称职地调动起了客人们的情绪，晚会很热闹。

我们唯一没见到的邻居就是费雷尔夫妇。他们可能觉得现身在一群安德拉奇的乌合之众之间有失身份。显然，和帕尔马达官显贵出席一场时髦宴会才和他们高贵的身份更相配。祝他们走运吧。我们最喜爱的本地人都在这家冰激凌店里，看到他们无拘无束地快活真是太好了。

老豪梅现在到了舞池中央。他的两个孙女高兴地笑个不停。他跳的那种流行舞蹈可能是他在担任索恩维达大酒店服务生时学来的。他那胖肚皮在如同游戏般跳跃的双腿上方上下颤动，肘部粗野地摇摆着，牛角镜框的眼镜打到了鼻翼最底端，粉红色的脸上充满笑容，汗珠轻轻摇晃着。

"他跳的是《马铃薯泥》！"艾莉在我耳边喊叫。

"不，你看他手臂的动作。"我争辩着，"我好像看过，那应该是《好笑的鸡》。"

我们看着老豪梅摇动着圆滚滚的身子，最后一致同意："是《好笑的马铃薯》。"

"不管怎么说，"艾莉笑了，"很高兴看到豪梅和家人这么快活。佳节和家人团聚真的令人兴奋。真是太好了。"

"当然。"我同意。音响的扩音器声音实在太大了。我提高嗓门来盖过里面传来的"宾夕法尼亚……五……六"的轰鸣。"说到家人，我们那两位小英雄跑去哪里了？"

艾莉先是指了指商店后面的出口，查理和托尼在一块儿，正在交头接耳地笑谈走道上发生的插曲。然后她朝吧台点了点头，森迪在和安德拉奇足球队的"马拉多纳"先生专心聊天。我们上次见面还是搬来的第一天晚上，在保罗的小吃店里吃夜宵呢。

我瞄向酒吧另一边，那里有人靠在门边已经关闭的弹球机旁跷着标志性的二郎腿，那是老佩普。他神采奕奕，一副出席大场合的行头：高档的黑色贝雷帽，崭新的白斑点围巾，擦得光灿灿的皮夹克。他眯着眼睛，吐着恶臭的雪茄烟圈，轻蔑地看着这群寻欢作乐的人。我隔着走道和他挥手示意，他一只眼眨了眨作为回应，旁人几乎难以察觉。公共场合里的佩普酷得不行。

我感到有人轻轻推了我的背，在我耳边喊道：

"那个该死的老混蛋！"

我赶紧转身去看，原来是几个星期前，我在安德拉奇港口买报纸时给我解释车子跑到杏树上去的家伙。

他向老佩普晃着手，用他最好的英语词汇骂着："那个该死的混蛋！还以为是他在统治这个伟大的城镇？真荒唐！"他顽皮地笑了笑，搬了张椅子坐到我旁边，生硬地对艾莉鞠了个躬，并伸出他的手，"女士，你还好吗？我没看到你在这里，请原谅我的粗俗。这些脏话，是几年前我在英国修车厂一位巴基斯坦朋友教我的。我是霍尔迪，霍尔迪·贝尔特伦·尼古劳。我是个木匠，就是修船的。别的许多活儿我也能干。"

我们握了握手，然后我们做了自我介绍。霍尔迪扑哧一声笑了，他忍不住重复着我们的名字："霍尔迪，彼得……霍尔迪……艾莉。老天哪！"

他自得其乐。在他那撮惊人的灰色头发下，一双机敏的马略卡鹰般的眼睛在瘦削而方正的脸庞上放射着光芒。

"所以，你在英国待过，是吗，霍尔迪？"我谨慎地问着。

"待了该死的十六年。我告诉你我的故事。"他宣称道，自豪地挺起瘦弱的胸膛，两腿交叉，一条得体的裤子显现出膝盖的轮廓，"我的妻子是英国人。啊，是的。"他从掉色的纯棉夹克衫袖口弹掉了烟灰，"我的孩子也是。我有三个孩子。都是女孩。她们出生在英国。啊，是的。"

"你们现在都在马略卡生活吗？"艾莉问道。

霍尔迪微微一笑，不置可否，眼中浮现出一丝伤感。"啊，女士，不，现在这里只有我一个人。五年前，我太太和我的宝贝孩子跟我回到这里生活。我买了间房子，院子里有一棵枝叶茂盛的大棕榈树。就算在安德拉奇，那也算是最漂亮的了。啊，是的。然而我妻子实在受不了这里的酷暑，"他挤出一丝笑容，"我告诉你，她在这里只待了一年，就离开安德拉奇，回英国去了，带着我们的孩子。她回到该死的考文垂照看她父亲。那个老家伙跟佩普一个样！"

毫无疑问，霍尔迪个人故事的下一章一定会引发我聆听的兴趣，而且尽管他不需要别人问就会和盘托出，我也不想表现得太八卦，所以我很高兴能抓住机会改变话题。

"啊，老佩普啊。"我说，"他是个人物。你说呢？是不是？他是我们的邻居，我们住在……"

"你购买了费雷尔的农庄，就是帕尔马那个老王八蛋市长的，他自认为是这样。真是荒谬可笑。啊，是的，我知道所有事。我告诉你，我知道安德拉奇镇所有鸡毛蒜皮的小事，各界人士我都认识。我可以用完整的英语告诉你所有奇奇怪怪事情的前因后果。"霍尔迪把腿交叉蜷起，喝了一口杯中棕红色的液体。这酒看起来像致命的毒药，据他说是用马略卡金酒、当地一种用奎宁水制作而成的甜酒，以及玛丽亚草根液"勾兑"而成的鸡尾酒。"干杯！"他笑着说，"祝我身体健康。"

"霍尔迪。是的，没错，身体健康。"我回敬，"大家都健康！"

霍尔迪点上烟，我喝了一小口酒。

"西班牙香烟。"他笑着向我晃了一下他的烟盒，"英国烟斗抽起来像刮胡刀一样，嘴巴里有牛屁股味儿，真滑稽。"

艾莉礼貌地离开，去洗手间里避难了。

"霍尔迪，你说老佩普还在管理这个乡镇？"在好奇心的驱使下，我问道，"这到底是什么意思？"

"是的。他许多年前曾是安德拉奇响当当的人物。"霍尔迪靠近我，以保我没有遗漏任何细节，"佩普曾经在议会工作，而你的邻居费雷尔先生，当时是他的助理。没错，我告诉你，佩普曾经是弗朗西斯卡女士年轻时的恋人，很小的时候，她就是个美人。两人某年夏天在果树林里快活过很多次。"

霍尔迪拍了一下大腿，大笑起来，他显然对这段故事的精彩片段了如指掌。他继续说下去，当时，弗朗西斯卡才十三岁，佩普年纪比她大了一轮。他俩有关系。弗朗西斯卡的父亲老帕科发现了这段私情，当地不少人因此怒火中烧。佩普只能远走古巴，在那边政府担任一份职务谋生，直到风波平息。几年后，佩普卸任回来，托马斯·费雷尔已经成功获选成为议会最高领导人，佩普心爱的女人也被他抢去了。佩普很伤心，心灰意懒的他娶了另一个女人为妻，不过，他的婚姻生活并不美满。他天天酗酒，每天晚上到酒吧喝到烂醉如泥，然后露宿街头。

从这个地区的头面人物，一下子跌落成远近闻名的酒鬼，佩普眼看着昔日的手下如今成为当地的一把手，早年的恋人成了现在政敌的娇妻。生活全毁，所有的钱也花光了，他的父母早在他去古巴之后就故去了，只留下山谷里的一个小农庄，佩普后来就在他父母留下的农庄独自生活。他把从古巴偷来的烟草种了来卖，靠这个维生。他躲起来生存，也不再碰酒精，夜以继日地用最原始的被他人遗弃了的工具进行生产创造，养起了羊。这些都归功于失恋的痛苦。每次看到越发富态的托马斯和弗朗西斯卡周末回到父母的庄园，他都会失魂落魄一段日子。

可贵的是，时间是治愈伤口的良药。一点一点地，佩普开始介入这个小社区的日常生活，尽管那些逝去的岁月永恒地改变了他。他不再是这个地方的统治者，呼风唤雨，赫赫有名，手握一个女孩儿的芳心。他如今内心坚韧，脾气暴躁，带着一些让人火大的优越感，有些人说这只是他多年前传奇的饮酒习惯造成的疯狂，而其他人坚持认为他只不过是一个易怒的老吝啬鬼，也是，他经常一个人干坐着，半天才想出一个好方法，一个比塞塔一个比塞塔地赚取生活费，打发他那比驴子好不了多少的后半生。

霍尔迪能够确定的是，老佩普的故事让他想起了他在考文垂居住的岳父的人生。他的岳父，肯定也是个苍老的、狗一样坏脾气的、眼里只有自己没有他人的坏家伙！

"我接着说，"他道，一边向前跟酒吧里那些他注意到的熟人搭讪，"这两个老家伙真是臭味相投！太荒谬了！"

霍尔迪诉说的关于老佩普的故事是否真实可靠，我不清楚，但他的描述确实解释了我这位老邻居性格上的谜团，尤其是他对托马斯·费雷尔的敌意。也许玛丽亚·包萨对弗朗西斯卡尖刻的指责，也是对几十年前发生在果园里的情事的怨恨。难道玛丽亚就是弗朗西斯卡和佩普在隔壁农场里偷吃禁果的见证人？还是玛丽亚自己一直暗恋年轻的佩普，因为没有得到他的爱慕而心生嫉恨，向弗朗西斯卡的父亲老帕科告发了他们的情事？也许佩普正式职务之一是管理本地的分水权，因此利用职务之私，让弗朗西斯卡专享他人无法得到的水源？是的！一定如此！这就可以说明为什么老玛丽亚对分享水井格外反感！

有人用手指捅了一下我的脊背，打断了我的胡思乱想。是老拉斐尔。他的脸像涂了一层油脂，嘴里吐着酒气，衣服上全是羊膻味儿。他的头发今天闻起来有股新奇的酸味，他开心地主动说，他刚刚做了奶酪，抹在头发上的那种。会让女士们疯狂，他告诉我。而现在，拉斐尔热情十足地晃了半天我的手，然后自信地摇摇摆摆走了，准备去让一些不幸的老妇人疯狂，在舞池上窒息。

厨房女侍如同往返巴士的酒水服务停止了。于是我建议刚刚回到座位上的艾莉到酒吧那边去，现在队伍好像已经排起来了。如果你要多喝几杯，你就得花钱。博内特先生是个慷慨大度的人，但这掩盖不了他生意人的本分。

森迪还在跟本地的"马拉多纳"侃大山。我们在拥挤的酒吧里等位子的时候，无意中听到了几句。

"我在苏格兰学生军踢过球，但从未在世界级比赛里出过场。"森迪恳求地说，"我很幸运地进入了校队第二梯队……就是通常所说的替补。"

"不用担心。伙计。拉雷亚尔球队现在急需一名新的自由中卫。不开玩笑。你得相信我，好吗？我会告诉他们的经理。他是个明白人！不过要记住是我把你带进去的，你是个足球天才！真是天才！你代表苏格兰学生军参加过文布利比赛？"

"汉普登。苏格兰的主场在汉普登，不是文布利。"

"去他的汉普登，伙计。这里没有谁听说过什么汉普登不汉普登。每个人都听说过文布利。我会把你在文布利踢过球的经历告诉拉雷亚尔的经纪人，你一定会被接纳的。明白了？放心吧，没问题的。伙计，这是个很不错的球队。"

这个有点小聪明的"马拉多纳"一定感觉到，他这番签协议时细致的谈判方案，已经进入森迪的耳朵里了。他下意识回头看了一眼，突然发现我站在一旁。他那张黑沉沉的脸马上变得温和起来，对着镜子训练过的笑容自动回到半边脸上。

"呀，是爸爸过来了。他们玩得怎样？伙计！"他尖叫着，打了我肩窝一拳，"见到你真是高兴！我刚刚说服了你的孩子签一个本地足球俱乐部的协议。就是拉雷亚尔球队。成绩平平，但总要有个起点。是不是？如果这个赛季他能在拉雷亚尔球队有成绩，下个赛季我就可以把他签到安德拉奇球队去。没问题。明白吗？啊！夫人，你看起来太棒了！"注意到艾莉在旁边，他声音越发亮了，上前给了艾莉一个过于亲热的拥抱。"哦，娃娃脸。要是我也有这样一个妈妈多好。"

"啊，啊！又见到你真是太好了，你是……"艾莉不安地说，"你那位小女朋友怎么样？没跟你一起来？"

"马拉多纳"扬了一下眉毛，头没有动，眼睛冷淡地转向酒吧里，他那位溺爱崇拜他的女朋友正站在那里盯着他，看起来情绪不太好。她双手交叠，扣在无法掩饰的隆起的小腹上。

"是的。她总是在我身旁转来转去。"他懒洋洋地说，"我一不小心就中标了。"

"那就恭喜了。"艾莉笑得有点勉强，"所以，你要当爸爸了。"

"我和别人都得当，女士。""马拉多纳"扬了下眉毛，呵呵直笑，"如果她要按照孩子父亲的称谓来给孩子取名，得用'安德拉奇联盟之子！'我从不拿自己开涮。说真的，这个赛季她摸过的裸体男队员，比俱乐部理疗师摸过的都多。当然，没问题。亲爱的。"

"马拉多纳"那口英语，更不用说他的社交才华，都是那群吃饱了饭就在啤酒桶里泡着的英国男人的功劳。他们经常光顾他工作的海边酒廊，跟他聊天。尽管他喜欢表现得像个坏男孩，我们都希望更严厉的影响能奏效，也许要不了多久，他就会做"正确的事"，在索思伯格饭庄里上演他自己的奉子成婚。

灯光闪了一下，舞台传来了鼓声，就像锡制垃圾桶从楼道滚下来的声音。博内特先生像专业的舞台工作人员一样走上去，他裤子的尺寸不很得体，裆处有点紧，上台的脚步因此变得迟缓。拿起麦克风，他就着灯光吹了几下，相当专业的样子，喇叭里传出低沉的男声。伴随着嘈杂的细碎声响，他介绍了今晚的表演，以戏剧性的手势指向店的后门，然后宣布："先生们，女士们。本地弗拉门戈，高贵的姊妹舞蹈团！大家好！"

乐队奏起了《太阳与阴影》。这首乐曲是每当斗牛场上斗满一千头牛后必须演奏的乐曲。中场休息时，看客们就开始喝酒胡闹起来。经过我们身旁的弗拉门戈姊妹舞蹈团事实上只有两个人，她们穿着紧身衣，外面套着开叉很大的长裙，高跟鞋踩得店里的地板啪啪作响。

"这就是查理和托尼偷着乐的原因。"我不禁莞尔一笑。

艾莉扬了扬眉毛，满腹疑惑，"弗拉门戈舞女？"

"没错。高贵的姊妹也就是刚才厨房里的女侍。查理和托尼这两个小变态躲在后面店门口偷看过她俩换衣服。"

"丢人的小杂种！要好好教训一下他。"

"亲爱的，要是我，就不会多虑。男生总会成为男人。况且这个骨瘦如柴的方丹戈舞女不会让他们成为偷窥狂的。"

"你可别信。老拉斐尔那个老不正经，一看到那俩姑娘的大腿露出裙子，就眼珠子乱转。"

"一定又是生了虫的橘子汁搞的鬼。你知道吗？我们真该做这个生意，把带虫橘子汁装瓶卖出去。你看拉斐尔那副上头的样子。如果是真的，我想配了这种如同激情药水的橘子汁来卖，我们很快就会富起来！"

"你说得对。看他那个样子，跳得真快活。"

拉斐尔疯了。这来自家乡的原生安达卢西亚音乐，和着那令人血脉偾张的吉卜赛舞蹈，对他来说太过刺激了。他已经上头了，借着酒劲开始跟着舞池的舞女一起跳动。他那肥而短的手指在头顶上方打着响指，塑料鞋底的运动鞋用力点击坚硬的瓷砖，动作跟着精确的鼓点节奏升起落下，两腿如同两条湿鱼落在地板上。他弯曲膝盖，极其挑逗地扭动臀部，下巴紧锁，眼睛充满威胁地注视着二人的脚步，就像一位矮小肥胖的斗牛士面对一头被长矛插得如同刺猬一般的野牛，控制着自己的攻击性，压抑着自己的威胁。

整个舞场轰动起来。口哨不绝于耳，音乐也越来越高昂、节奏明快，拉斐尔的步子似显疲劳，再表演那些高难度的舞步就有些牵强了。但见他额头上的汗珠不断外渗，虽然这里是安德拉奇的博内特冰激凌店，他那早已昏沉的脑细胞可能正在告诉他这里是格拉纳达城的某处，而他正在高广的星辰间狂舞，如同在内华达山脉香气四溢的闷热空气中，如被热情的安达卢西亚天使围绕着的阿多尼斯般疯狂旋转。

渐渐地，汗珠汇成小溪，小溪变成河流。拉斐尔的发油被汗水化开，流到脸上，也浸湿了衬衫。那厨房女侍泪流满面地落荒而逃，可能是被这个小酒鬼坏了她们演艺生涯的一个大好机会气到了，更可能是被他的腐烂酸奶与蒸汽腾腾的山羊烟雾混合而成的恶臭熏到了。

拉斐尔一个人留在舞台上。寂寞的吉卜赛王子在营火附近灵活地走来走去。当吉他热烈地奏响，他亲密的同伙就开始疯狂地击掌喊叫，刺激他摇摆出更多弗拉门戈舞步。他迟疑地闭着眼睛，张开嘴，跟着祖先摩尔人的节奏向后甩头，失去控制般地摇晃肢体。老拉斐尔进入了舞蹈的至高境界。

回到现实，"管弦乐队"已经离开舞台，他们需要幕间休息一下。一位醉意迷离的老牧羊人依在舞池边摇摇晃晃，恍恍惚惚记着自己在跳舞。他弯下身子继续旋转，一不留神，裤子开始往下掉。客人们发狂地大笑。裤子滑落在脚踝处，露出一条皱巴巴米黄色的连身裤，裤上还扣着吊带。幸好，博内特先生及时请了两位矫健的年轻人将他轻轻抓起来，拖到后台一个隐秘的区域去吹吹凉风了。他一定会恢复理智，但也许会因此感染肺炎也说不定。

博内特先生没有太当回事儿。他回到舞台开始介绍下面的演员：一群穿着马略卡传统服装的年轻舞者。女孩们戴的白色帽饰遮住了脸，喇叭形边缘镶了蕾丝，一直垂到肩膀，一件黑色长袖紧身胸衣，一条色彩鲜艳的曳地长裙，配上可爱的精致白围裙。男孩们则穿着长袖白衬衫，黑色束腰西装上衣，宽大的七彩直筒纯棉裤子长度过膝，盖住了白色长裤。两个乐手也身着马略卡农夫装：一位敲鼓，是用皮带挂在肩头的那种简单面鼓；另一位吹奏风笛。这种小型马略卡风笛吹出来的声音和那听上去令人毛骨悚然的苏格兰风笛大不相同，令人感觉轻松极了。

温柔轻快的旋律是岛上千年以来阿拉伯人留下的民谣精髓，它迅速传遍了店里的每个角落。舞者踢踏、旋转、跳跃，不断地换各种姿势，优雅地交换位置。观众们洋溢着青春的喜悦。此情此景真的触动到了马略卡人的心灵。没有人比老玛丽亚·包萨更带劲了，她眼里泛着喜悦的泪花，五颗牙齿在灿烂的微笑中闪烁。她摇动着驼背的身体，跟着音乐拉起两个曾孙女的手左右打着节拍。昔日的旋律带来怀旧的伤感。她看着年轻一代开心地加入熟悉的舞步，被带到往夕美好的时光。还是个小姑娘的她在夏天的田野里飞舞，赤裸的双足带着灵活的身子在暖湿的田地里飞跑，像微风中轻舞飞扬的树叶。她的男友用强壮的双手挽着她纤细的腰肢快速旋转。他们缠绵在无忧无虑的年少轻狂中。

就在这个关键时刻，门口一阵喇叭声打破了这温柔如水的夜晚。"噢……耶！噢……耶！"

原来是乔克的妻子梅格。她体态雍容，扭动身躯快速进入了店内的舞池中。她丰满的胸部在五颜六色的印花长袍内半隐半显，长袍上色彩斑斓的嵌花不禁让人联想到联合国旗子的组合图案。她的脸上露出一丝笑容，嘴咧得像一片甜瓜一般，略显凌乱的花环在金发上晃来晃去，眼里闪烁着灿烂的光芒，一手牵着两只银色气球，一只手举着象征胜利的香槟酒瓶。家庭舞会开始了！

说到享受美好时光，梅格是好手，多年的饮食和快活使她的腰围又增了几英寸，那又怎样呢？她有一种坚不可摧的内在活力，生活态度反映在脸上，使她和青葱岁月的少女时代一样容光焕发，极具吸引力。梅格是个专门挑高潮时刻在晚会登场的高手，只要她一出场，所有的目光都会集中在她身上，她就如同里约热内卢狂欢节上那位唯一的女舞者。

"诸位晚上好！小可爱们！"她大声地开场，给了我和艾莉令人窒息的拥抱与亲吻。然后她飞快地走完一圈，"哇！多么可爱温馨的小派对！什么时候开始好玩的东西？亲爱的？"

"瞧你的了。你一来，肯定就要开始了。"我打趣道。

梅格发出了无拘无束的笑声，那笑声淹没了音乐片刻，周围民间舞者的心头都是咯噔一震。

"这些过时的舞是怎么回事？"她大声批评，"亲爱的，我们得做点什么。平心而论，有些东西和上古的诺亚一起消逝了。我们得在这里多展现一些生命活力！"

"梅格，你怎么一个人？"艾莉问，显然很担心梅格疯狂的扭动身体和叫喊会破坏原本井然有序的舞会，"乔克呢？"

"我还没来得及甩掉他，如果你指的是这个的话。我运气真差。他在外面停车。不过他一听到这种流浪艺人的音律，他就会说，我又有了一个好点子，谁知道他在干什么呢？无论如何，我跟你打赌，总是令人尴尬的事。"

我听到佩普在我身后肆意装咳。"不好意思。梅格，这是佩普。我农场的邻居。"我有些惊讶，这老家伙是什么时候悄无声息地滑到我们身后的。与我所预期的完全相反，梅格巨星般的亮相引起了佩普的注意。四十年前他从古巴回来时一度为弗朗西斯卡熄灭的热情，重新燃烧了！

佩普理了理白色围巾，摘下贝雷帽。他举起梅格的手，放到唇边亲吻了一下，甚至记得在最后一刻扔掉嘴里夹着的香烟。"女士，幸会！"他的嗓音沙哑而性感。老佩普对梅格一见钟情。

"这老家伙看起来好像自从逃离宗教法庭后，就再没有展露过笑脸。"梅格打趣着，向老佩普绽放了一个她最有诱惑力的笑容，"但没关系。我很快会把他的发动机给点着火！"她捏了一下佩普的脸颊，然后对他努努鼻子，"对吧，小可爱？"

老佩普只是哼了一声，皱了下眉头。

这是"用最好的矛对最好的盾"的典型例子。肯定会很有趣！

厨房女侍从格拉纳达神圣姊妹团这一短暂而耻辱的职业生涯中充分恢复过来后，再次身着亮片连衣裙出场，在大厅分发葡萄串。大家分葡萄时，博内特先生突然要求暂停跳舞，然后打开了酒吧里的电视。

"过来！这个给你们！"梅格大叫道，塞给我们一些葡萄，"这是当地习俗。你必须在午夜十二点时，每敲一次钟，吞一颗葡萄，一共十二次。这会为你的一年带来好运！当然，如果你能做到。"

电视屏幕烁烁生辉，播出的是一群狂欢的人。他们在帕尔马古老的市政厅热切等待新年来临。钟声响起时，博内特故意将电视机声音调大，店内的旧拱廊回响着大嚼葡萄和噎到的声音。欢呼的笑声和香槟酒软木塞弹出的声音不绝于耳，那些更为纯粹的寻欢作乐者认为从公共酒瓶直接狂饮美酒香槟，简直是再传统不过的事了。

我们勇敢地尝试维护旧习俗，但游戏般吞塞了五六颗葡萄之后，我们不得不背弃新传统主义者的阵营。我们用梅格的酒瓶斟满杯子，继续庆贺自己在马略卡的第一个新年。我们迷失在那种对全人类的仁慈所产生的极度情绪化的握手、亲吻、拥抱和拍背的亢奋气氛里。在每个新年本该感伤的几分钟里，这种情感神秘地掩盖了我们根深蒂固的偏见。

欢聚进入尾声。"管弦乐队"开始演奏《友谊地久天长》了。这种欢乐气氛几乎要让人无法承受了。老太太用手帕擦拭着怀旧的泪水，老先生也在兄弟情谊的感召下，双眼模糊地看着对方。有人手牵手踏进舞池，哼着调子奇怪的罗伯特·彭斯的圣咏。那些投机取巧的年轻情侣则躲在房间的黑角落，充分利用这感情用事的幕间时分，以美好而传统的摸索享受对方的身体。

《友谊地久天长》结束时，大家高喊起"长命百岁"和"新年快乐"。突然，一个熟悉而高调的声音从气球爆裂和尖锐的喇叭声中切了进来。这声音来自远方，幽灵一般。是风笛。这可不是只会嗡嗡叫的马略卡小型风笛，而是真正的令人毛骨悚然的苏格兰风笛。大门突然打开，进入眼帘的是那行如幻影的风笛手乔克。他刻意低低摇摆着臀部，身上挂着夸张的很不合适的苏格兰裙。他把裙摆拉得很低，差不多就要掉到短袜上了。左边胳膊猛烈摆动苏格兰花布袋，当他很有耐心地把尖锐、痛苦的声音从风笛中挤出来的时候，起伏的胸膛像要爆炸开来一般，涨红的脸左右鼓胀着，像对恋爱的牛蛙。

"你知道我的意思了吧！"梅格大叫，她用手捂住了眼睛，"乔克和尴尬如影随形。"

"他从哪儿弄的风笛和苏格兰裙？"我好奇地问。

"晚上他在旅馆遇见了一位苏格兰旅客，他身上没什么钱，所以乔克就想花五十英镑买下这些东西，更糟的是，那个家伙竟然就同意了。"

"不过，我从来都不知道乔克会吹风笛。"

"如果你指的是那个东西，我发誓他根本一窍不通。虽然他老是吹嘘他做童子军的时候吹过，"梅格耸了耸肩，"你自己看嘛！"

乔克的风笛吹奏技巧虽然不会获得任何奖项（好在他吹出来的声音只是有点"生锈"了），但没有影响到键盘手和鼓手"锁定"到他的位置。在博内特先生的客人回过神来之前，他们已经坦然接受一次最不可思议的音乐组合的疯狂袭击了，那真是自发式的狂欢！

乔克暴烈地吹奏风笛，狂风骤雨般倾泻着音乐，乐队也尽情展现伴奏才华，虽然他们明显不在一个调子上。至于其

马略卡之冬：雪球橘

他临时手痒的乐者，也尽其所能大胆地加入这个杂牌军，一起随心所欲地倾倒音符。当他们同饮灵感的神秘泉源并因此享受肆无忌惮的欢乐时，他们就都是地道的音乐家了。当然这也只有他们的亲密兄弟才知道，或许还有一些声音悦耳的酿酒工。他们很享受，大家也都很喜欢。

"哇耶！"梅格叫喊着，"聚会时间到了！小可爱们！让我们一起疯狂吧！"她抓着佩普的手，把他拖到舞池。完全不给这位被震晕的老头子拒绝的机会，梅格搂着他的手臂，领着他不断地旋转。佩普唯一能做的就是扶住他的贝雷帽不掉下来。

"我想他们放手的时候，可能需要一点支援。"我对着艾莉的耳朵大喊。

"好吧！我要下舞池了。如果你也想，我们一起去跳舞吧！"

来到了舞池，梅格、佩普加上我跟艾莉，一起投入即兴的四人苏格兰高地舞中。我们绕着餐厅大堂来回摆动，快速地旋转彼此让我们胳膊酸痛。乔克跟他的杂耍乐队继续演奏一些毫无章法的即兴音乐，乐手快速地吹出一段狂热的苏格兰凯尔特传统乐曲，键盘手如涡轮增压的蒸汽锤一般砸出乐章，另外两位鼓手则将人生意义完全投注在眼前的敲打上，节奏炽热，激情像野火一样蔓延。只一眨眼，整个小舞池就充满了疯狂的高地舞舞者，他们拱起手臂，伸到头顶，踮起脚尖，飞速上踢。

经过深思熟虑，舞厅老板博内特为了舞者的舒适而将吊扇转速提高，又让他夫人到舞台上，用一根长杆伸到汗流浃背的音乐家上方一台电风扇的位置，将它的开关艰难地打开。

博内特太太背对乔克，拿着杆子不断向上戳，希望能够启动那早已废弃多时的电风扇。乔克全神贯注吹奏着风笛，根本没有注意到博内特太太手上拿的杆子不小心钩到了他的裙摆，将它向上卷起，挂到了他腰后毛皮带的肩带扣上。作为真正的苏格兰人，乔克理所当然地把内裤留在了车里，所以当他转身向身旁的伙伴示意曲子第一段快要结束时，所有观众都看到他背后那两片月亮般光溜溜的屁股。

笑声如雷贯耳，此起彼伏，所有人都停止跳舞，对着乔克呆傻又粗俗的暴露行为指手画脚，嘲笑的口哨四起。乔克自以为观众的这些反应是在欣赏他的即兴演出，当其他乐手停止演奏时，只有他还在继续卖弄技巧。好不容易逮到机会，爱显摆的他还用奇怪的风笛吹起桑巴，背对观众，用力地摇摆他毫无遮拦的臀部，粗俗地模仿穿着苏格兰服装的卡门·米兰达。

震耳欲聋的笑声更煽起乔克那极端的表演欲望。难得逮到这种机会，"管弦乐队"的鼓手迅速拿起沙锤和沙铃递给其他三个同伴，与他们即兴演奏起拉美乐章，以配合我们这位沉醉于狂喜的不幸的风笛手，这个时不时走下舞台、带领那些歇斯底里的狂欢者绕着店内转圈的苏格兰人，这个令人捧腹、光着屁股吹风笛、康佳鼓一般个头的苏格兰矮冬瓜。

刹那间，安德拉奇的新年到了！

明天再说吧

元旦过去了。我们没想过新年的开端竟会如此顺利。当一月一周周过去，我们高兴地将在这里度过的第一个十二月遭受的所有苦难都抛诸脑后。美好的时光已经超越了一切不幸，尽管老房子带给我们一些不愉快，但我们已能处理好那些曾经打击过我们的棘手问题了。通过这些考验后，我相信最终我们一定能把"市长府邸"变成自己的家。

等了很久，从英国寄过来的行李漂洋过海，虽然不是以我们预期的方式，但最终还是到达了！我们的家具搬运车越过两大洋、半个欧洲，史诗一般终于来到旅程的最后一站，却发现村子的桥实在太窄，无法开进来。不得已，我们只好用上村中各式各样的小型交通工具，一件又一件地将我们的行李运回屋内，我们的小型拖车、老佩普的驴车、邻居的手推车轮番上场。这最后一英里是行李到家前最漫长的一段路，那天搬完东西后，整个村子里的人都知道我们究竟有何家底了。

虽然刚开始有点担心，查理对新学校却正如鹰击长空，鱼翔浅底。他身穿齐整的 T 恤衫、腿上是牛仔裤、脚蹬运动鞋，起初我们想象他的学业和社交可能会有些麻烦，他却很快就掌握了中大西洋那拖着长音的语言。国际学校的学生能讲各种语言，这种环境适合他去展露才华。即便是他最钟爱的足球，最后也被篮球，这个从前他认为只适合女孩玩的运动所取代。建个篮球架对我而言好太多了，在房子后面支起的架子上做个篮筐，总比在橘园里随便开辟个足球场容易不少。查理认识的本地孩子越来越多。比起闷在家里看电视，他们更喜欢户外活动。最后查理也放弃了他最喜爱的家庭生活：看电视。谈到电视，最后他的结论是"这里没有高雅的节目"。

幸亏安德拉奇的"马拉多纳"牵线搭桥，森迪真正加入了拉雷亚尔这个本地小足球队。晚上的训练以及周日的比赛让他很快就交到了新朋友，同时也让他的西班牙语进步神速，虽然有些词语无法在一般的社交场合上使用。只是，他并没有继续迷恋他之前运用自如的手扶拖拉机。事实上，随着温度计上的数字不断攀高，白昼越来越长，森迪驾驶手扶拖拉机在越来越宽阔的树丛下穿来穿去，挫败感也越来越强烈。

我不止一次看到他低头看着那辆嘈杂的机器，然后缓缓抬起头羡慕地仰望从帕尔马机场朝北飞向苏格兰的飞机。我猜他也许正想着那里没有果树，幅员辽阔，大到能让真正的大拖拉机随心所欲地驰骋。

我和艾莉的日常就是摘橘子和柠檬。在愉悦的冬阳下，拖着只有一条腿的三角梯从这棵树移到那棵树，成箱成箱地装水果，完成水果商赫罗尼莫的订单。我们渐渐学会如何做生意，尽管赫罗尼莫每次都很慷慨地付给我们当天最高的市价，但是，没多久我们就发觉，这种规模的果园永远无法赚取丰厚的利润，我们每公斤赚到的利润竟然比不上英国一个橘子的价格。但是后来我们发现，不管怎样，在马略卡的我们好像不需要那么多钱就能过得很好。

霍尔迪很快成为我们的省钱小助手和信使。对于如何理解当地那些重要而复杂的市场信息，他的确是个不可多得的人才。他自己有个小农庄，在安德里克索隘口的山坡上有几块狭长的土地。他是个生活非常淳朴的人，不太在意名声。他有一辆奇特的摩托车，那是他唯一的财物。这辆摩托车由几只山羊和一辆小拖拉机组合而成，对他来说，成本效益的理财方法不只是重要，而是事关生死。他很愿意将这些知识传授给我们，无须任何报酬。市场有交易的日子，他会高兴地和我一起去安德拉奇镇的努埃沃酒吧，坐在太阳椅上喝两三杯啤酒，一起玩他最爱的用英语骂人的游戏。

至于费雷尔家的猫和狗，我们遵守承诺，每天都带着食物到弗朗西斯卡的小木屋把它们的碗装满。弗朗西斯卡送来给动物吃的那种令人作呕的家禽碎块被我们放弃了（至今也没有慈善的屠夫送我们免费的剩肉）。实际上，我们去买了给狗特制的香肠，或者用我们饭桌上剩的饭菜去搭配弗朗西斯卡的糟米。这似乎是可以让动物茁壮成长的饮食。截至目前，我仍然怀疑弗朗西斯卡以前送给我们的那些鸡头与鸡爪不过是一场阴谋，是为了让我们恶心，然后我们就会用自己的钱给她的宠物买吃的了。不管怎么说，我们也不能因为主人疑似背信弃义的行为而让可怜的小动物遭殃。

我们给它们的福利和关心终于获得了回报。罗宾和玛丽昂心情好的时候，偶尔会一起来陪陪我们。除此之外，我们摘完水果休息时，它们也会坐在我们的膝上，它们觉得这么做可能有一两次机会获得零食。但这种礼节性会晤会在托马斯和弗朗西斯卡周五傍晚回村的时候，随着它们欢呼的叫声戛然停止。之后整个周末，即便我们离它们几英寸，罗宾和玛丽昂也不会看我们一眼。

那些猫则完全漠视我们的存在，还不停地朝我们咕噜咕噜地吐口水，它们是真的很讨厌我们。它们不像狗，还能友好相处，并允许我们周一到周五时拍拍它们的头、搔搔它们的耳朵（也许是担心它们真正的主人不再回来）。杂色斑驳的猫大亨不会纡尊降贵。它们讨厌看到我们，即使我们使用

"咪咪呀咪咪"的猫咪和平宣言，似乎也永远不会改变这一点。那就顺其自然吧。我们会有成功的那一天的。

我们与费雷尔家的友谊，最后维持在打照面时挥手致意。我会和托马斯在围墙附近简短地聊聊拖拉机和果树，或是在弗朗西斯卡带着糙米过来，谈到气候的时候"嗯啊"几句。用艾莉的话说，就是当弗朗西斯卡把八卦的鼻子伸进前门的时候。

一月夏日一般的静谧天气是小岛的福祉，就这样宣告冬天已逝（"冬天"一词用得有些不恰当，因为这通常是马略卡最温和宜人的季节），春日将至。几天内，杏花便会纷纷开满整个村庄。那是些白色与淡粉色的小花，树叶尚未长出前，花儿就缀满了杏树的枝干。它们唤起了我们第一次见到"市长府邸"的回忆。当时那难得一见的大雪落在了同样枝干斑驳的橘林里，白色的神奇披风覆盖山谷。

那似乎已经是很久以前了，尽管我们知道，马略卡乡村舒缓宁静的生活随着时间不断流逝，点滴刻画在大自然缓慢变化的面容下，而不是日历页数或是时钟的指针上。

在一个春意盎然、景色宜人的夜晚，我们坐在露台老井边的摇椅上，一边喝着葡萄酒，一边透过枝繁叶茂的葡萄藤仰望星空。慵懒的蟋蟀唧啾和多情青蛙懒洋洋的呼唤从河边的树林缓缓飘来，弥漫在空气中的柑橘香味安抚着地中海夜晚特有的空旷的自然之音。

"你知道我在想什么吗？"艾莉喃喃自语，"我想你终于学会如何感受宁静了。我喜欢这感觉……很美。"

我向后靠在旧椅子上，细细品味沉睡山谷的温暖宁静，惊叹于黑暗山脉的静谧雄伟，它的轮廓衬出夜空天鹅绒般的深蓝。

不久后，老豪梅的朋友、果园专家佩佩就会在我们的田里施展他治农的本事。尽管我们知道，要恢复这个小农庄昔日的辉煌，我们还要学习很多技术、做很多工作，但我们已经做好了迎接挑战的准备。豪梅曾说过，到了春天，一切都会好起来。随着美妙的时间一分一秒地逝去，我越发认同他的观点。也许明天我会去买一头小猪，只是为了让老玛丽亚·包萨感到快乐。或许再买几只母鸡……我会考虑的……明天再说吧。

一只夜莺从星光闪耀的密林深处，以一连串颤音和欢快的渐强音倾情歌唱。它银铃般的歌声，恰如画家无价的笔触，为迷人夜色添上最后几笔。